T. K.

АЛЕКСАНДРА
МАРИНИНА

КОРОЛЕВА ДЕТЕКТИВА

АЛЕКСАНДРА
МАРИНИНА

ЛИЧНЫЕ
МОТИВЫ

ТОМ 2

ЭКСМО

МОСКВА

2011

УДК 82-3
ББК 84(2Рос-Рус)6-4
М 26

Разработка серии *Geliografic*

Иллюстрация на переплете *И. Хивренко*

Маринина А.

М 26   Личные мотивы : роман в 2-х т. Т. 2 / Александра Маринина. — М. : Эксмо, 2011. — 352 с. — (Королева детектива).

ISBN 978-5-699-46878-2

Прошлое неотрывно смотрит в будущее. Чтобы разобраться в сегодняшнем дне, надо обернуться назад. А преступление, которое расследует частный детектив Анастасия Каменская, своими корнями явно уходит в прошлое. Кто-то убил смертельно больного, беспомощного хирурга Евтеева, давно оставившего врачебную практику. Значит, была какая-то опасная тайна в прошлом этого врача, и месть настигла его на пороге смерти. Месть? Впрочем, зачастую под маской мести прячется элементарное желание что-то исправить, улучшить в своей жизни. А фигурантов этого дела обуревает множество страстных желаний: жажда власти, богатства, удовлетворения самых причудливых амбиций... Словом, та самая, столь хорошо знакомая Насте, благодатная почва для совершения рискованных и опрометчивых поступков. Но ведь где-то в прошлом таится то самое роковое событие, вызвавшее эту лавину убийств, шантажа, предательств. Надо как можно быстрее вычислить его и остановить весь этот ужас...

УДК 82-3
ББК 84(2Рос-Рус)6-4

ISBN 978-5-699-46878-2

Глава 8

Валентина Евтеева искоса посматривала на профиль идущего рядом с ней Славомира Ильича, и сердце ее замирало от счастья и восторга. Все треволнения позади, на следующий день после визита в дом Крамарева той пожилой пары она встретила Славомира на прогулке. Как и в прошлый раз, за его спиной маячили два телохранителя.

— Валечка, как я рад вас видеть! — обрадованно воскликнул он. — Несколько дней не мог вырваться и, признаюсь вам, успел соскучиться. Вы такая очаровательная собеседница, мне очень не хватало прогулок с вами.

— Я тоже вас ждала, — призналась она искренне. — Боялась, не заболели ли вы.

Он легко коснулся ее руки, и Валентина обмерла. Неужели?! Неужели все сбывается?

— Было много работы, — вздохнул Славомир, как показалось Валентине, с сожалением. Во всяком случае, ей хотелось думать, что сожаление в его голосе действительно было. — Но я думал о вас, вспоминал, как мы вместе гуляли. А знаете что? Пойдемте выпьем кофе, здесь в торговом центре есть вполне пристойное кафе, где подают хорошую свежую выпечку. Пойдемте?

Она с радостью согласилась. Да она согласилась бы пойти с ним куда угодно, хоть в кафе, хоть на бои без правил.

Оказалось, из этой части лесного массива есть короткая тропа, которая вела прямо к большому торгово-развлекательному центру. Валентина шла от шоссе к месту встречи со Славомиром добрых двадцать минут, а теперь выяснилось, что можно было дойти и за семь.

Телохранители проводили их до входа и остались стоять снаружи у дверей. Славомира Ильича в кафе знали, видно, он частенько сюда захаживал. Они заказали кофе и булочки из слоеного теста с яблоками и лимоном. Валентина, против обыкновения, даже краешком сознания не зафиксировала эти слоеные булочки как нарушение режима питания и угрозу размерам талии, рядом со своим спутником она готова была есть что угодно и не думать о последствиях.

— Расскажите мне о себе, — попросил он. — Кто ваши родители, как вы учились в школе, какими были ваши подружки в детстве, как вы влюбились в первый раз.

«Только бы ничего не напутать, — напряженно думала Валентина. — Я родилась не в Руновске и выросла не в Южноморске, я питерская девочка из интеллигентной семьи, папа — врач, мама — инженер. Брат — бизнесмен. Не нужно ничего выдумывать, я буду рассказывать правду, только все это будет происходить в Питере. И папу никто не убьет, он сам умрет от своей болезни. Нет, не надо про папину смерть, она была слишком недавно, а ведь Нина Сергеевна говорила, что в Москве не любят горя и вообще не любят людей с проблемами. Пусть папа будет жив, и никакой болезни нет. Я вообще об этом говорить не стану. Он же не спрашивает про моих родителей сейчас, он спрашивает про мое детство».

Она рассказывала о себе и своей семье и не переставала удивляться тому, что это может быть интересно Славомиру. Ну, когда Нина Сергеевна расспрашивала ее, Валя понимала: хозяйка изучает ее, у нее хобби такое, Нина сама предупреждала. Но Славомир! Никогда ни один мужчина, ухаживая за ней, не интересовался ее детством и школьными подружками, максимум, куда распространялось их любопытство, — это вопрос о том, была ли она замужем и есть ли у нее дети.

— А какие книги вы в детстве читали? — спросил он.

Разговор плавно перешел на литературу, и здесь Славомир Ильич активно включился в беседу и показал себя человеком знающим и тонким. Они как раз обсуждали, в каком возрасте имеет смысл читать «Мадам Бовари» Флобера, чтобы хоть что-то понять в этом произведении, когда Славомир Ильич вынул из кармана мобильник.

— Простите, Валечка, мне нужно позвонить. Девушка в депрессии, надо ее поддержать.

Валентина не поняла, о какой «девушке в депрессии» идет речь, и, пока Славомир разговаривал, она внимательно прислушивалась к каждому его слову, пытаясь сообразить, хочет ли он, чтобы она спросила, что это за девушка и отчего у нее депрессия. Наверное, хочет, иначе зачем бы вообще стал говорить об этом. Или сказал просто так, чтобы объяснить, почему прерывает разговор на самом интересном месте, и никакие расспросы в его планы не входят? Как же поступить, чтобы не вызвать раздражения и недовольства?

— Ольга Константиновна, — говорил Славомир Ильич в трубку, — ну ты как там? Ничего? Как спала? Что снилось? Ну, ты это брось, не надо так... Да все будет хорошо, не думай об этом... Ну ты же умница... Нет, так нельзя, это неправильно... Ну потому и неправильно... Нет... Нет... Ты давай-ка выпей что-нибудь успокоительное и ляг поспи, а проснешься — и все будешь видеть совсем в другом свете.

Ольга Константиновна. Нина Сергеевна говорила о какой-то Ольге, преподавательнице арабского. Неужели она? Так у них со Славомиром все-таки роман или что? Валентина начала нервничать. С одной стороны, он разговаривает с этой Ольгой ласково, проявляет заботу, но с другой — он же сидит в кафе с ней, с Валентиной, а вовсе не с Ольгой. Зачем он ей звонит именно сейчас? Неужели нельзя было позвонить потом, когда Валентины не будет рядом? Или он хочет таким образом дать понять, что несвободен и чтобы Валентина не строила напрасных планов? Но зачем тогда он повел ее пить кофе? И почему сказал при встрече, что думал о ней и скучал?

Славомир разговаривал долго и неторопливо, Валентина успела не только съесть обе свои булочки и допить кофе, но и выкурить целых две сигареты. Ей надоело прислушиваться, его слова вызывали у нее только неприятные и тревожные мысли, и Валентина переключилась на свое главное дело. Каменская уехала в Южноморск и уже начала работать, Стасов сказал, что она встречается с друзьями отца и собирается посетить больницу. В общем, дело двигается, заказ выполняется, и это вселяет надежду. И Славомир Ильич тоже вселяет надежду... Неужели в ее жизни так странно и интересно начинается новая полоса?

— Трудно с вами, с девушками, — с улыбкой сказал он, убирая телефон.

Ну вот опять... На что он намекает? На то, чтобы Валентина все-таки спросила про эту Ольгу? Или просто извиняется за слишком долгий разговор?

— Все в порядке? — спросила она с участием.

Вот так, наверное, будет лучше всего. Захочет — расскажет, вопрос вполне это позволяет. Не захочет — промолчит, отделается кратким ответом.

— Дурака валяет девушка, — сказал он. — Не в настроении. Надо оказать моральную поддержку, а то как бы глупостей не наделала. Валечка, давайте перейдем на «ты», а?

Он сменил тему. Он не хочет рассказывать об Ольге. Значит, он по крайней мере не собирается давать понять, что несвободен, а это уже хорошо. Они легко перешли на более простое обращение, после кафе гуляли еще целый час, и, когда расставались, Славомир четко обозначил время и место их завтрашней встречи.

С того дня совместные прогулки стали ежедневными. Сегодня, 9 мая, в воскресенье, они встречались уже четвертый день подряд. И Валентина, идя рядом со Славомиром, чувствовала, что влюбилась безоглядно и безнадежно. А Славомир был таким же, как и в первый день, ровным, спокойным, ироничным, очень ласковым, и голос его звучал негромко и интимно, и он часто прикасался к Валентине будто невзначай, даже, случалось, обнимал ее за плечи, но она не замечала в нем ни малейшего признака волнения, словно они были старыми друзьями. «Может быть, ему просто интересно со мной, а как женщина я его совсем не волную», — с недоумением и даже с обидой думала она.

* * *

Мороженое быстро таяло, и Настя торопливо слизывала его, опасаясь, что оно все-таки капнет на ее белые брюки. В круглом бассейне два северных кита, Земфира и Пышка, показывали чудеса послушания и ловкости, они выпрыгивали из воды за мячом, возили на спине тренера и сделали прощальный круг, перевернувшись на бок и помахивая зрителям плавниками. После северных китов свое мастерство показывал полуторатонный, но невероятно ловкий морской лев Тимофей, а завершала представление парочка черноморских дельфинов. Все номера перемежались довольно остроумным конферансом. Настя, доев мороженое, хлопала в ладоши и радовалась, как ребенок. Сидящий рядом Чистяков поглядывал на нее с улыбкой.

— Ты вся перемазалась, — сказал он, доставая носовой платок, — как девчонка пятилетняя. Нравится?

— Ужасно! — призналась она. — Не помню, когда я в последний раз так радовалась. Ума не приложу, что нужно делать, чтобы заставить китов махать плавниками, это за пределами моего скудного разума.

Это был последний день из трех выходных. В первый день Настя позвонила по всем телефонам, которые ей удалось собрать у друзей Евтеева и в больнице, с огорчением выяснила, что из всего списка в городе на праздники остались только два человека. Они с Чистяковым их навестили, но ничего нового не узнали и отправились в океанариум, где Настя с изумлением и восторгом разглядывала рыбок за стеклами огромных аквариумов и поражалась разнообразию их окрасов. Вот рыбы, которым пятьдесят миллионов лет, серенькие, невзрачные. Подумать только, пятьдесят миллионов лет — срок, который трудно охватить умом, а эти серенькие длинные рыбки уже были! Плавали, размножались... А вот рыба-лев, золотисто-розовая, действительно напоминающая львиную гриву, Настя даже не подозревала, что такие бывают. У рыбки Водяные глазки возле глаз странные пузыри размером с вишню, а у белоснежной с прозрачными плавниками аранды на лбу мясистый вырост красного цвета, который называется «жировик», но выглядит как кучка красной икры, а из камня с маленькими пещерками выползают длинные, в горошек мурены. В огромном аквариуме плавала акула, а вокруг нее — прелестные на вид рыбки-прилипалы, синие, с ярко-желтыми хвостами, размером с детскую ладошку. А вот рыбка ярко-синего цвета с четко прочерченной широкой красной полосой от середины бока к хребту. Зачем эта полоса нужна? Для чего она? Для красоты? Или для чего-то другого? Природа знает, для чего, она ничего просто так не делает. Для чего-то она создала именно это и именно так, именно в таком виде. «Природа каждому существу что-то дает, — подумала Настя. — И дает для чего-то. Растения и животные принимают этот дар, как принимают данную им жизнь, и пользуются всем, что дано им от рождения, пользуются до самой смерти. Рыбки продолжают плавать, хищники охотиться, змеи ползают... Природа создает животных, растения, воду, камни для какой-то ей одной понятной цели, и эта цель неизвестна человеку до конца, и не нужно впадать в грех гордыни и думать, что ты можешь понимать все так, как оно было задумано, и распорядиться этим так, как должно. Все живое на земле благодарно пользуется дарами природы, и только человек растрачивает эти дары тупо и бездарно, а потом перестает пользоваться тем, что осталось. Ведь человеку даны руки, ноги, органы чувств и разум, почему же мы так пренебрежительно относимся к этим величайшим дарам, перестаем слушать, смотреть, думать, двигаться, запираем себя в раковине, сложенной из устаревших мифов и представлений, и вообще перестаем жить после определенных событий, будь то личное горе или просто достижение некоторого возраста. Ведь мы тем самым оскорбляем природу, словно говоря ей: нам не нужно все то, что ты нам дала, нам это все без надобности, мы не собираемся этим пользоваться, забирай обратно. И она забирает. Отнимает зрение, слух, подвижность суставов, постепенно отнимает разум. Она дала нам все для того, чтобы мы могли наслаждаться жизнью и быть счастливыми, а мы этого не делаем, придумывая тысячи объяснений, почему мы не можем, почему у нас не получается. Отчего так? Наверное, прав был Бегорский со своим клубом «Золотой век», считая, что нужно продолжать функционировать так, как тебя создала природа, до последнего своего часа, не впадая в грех уныния и не предавая себя вечному затворничеству. Вообще поездка в Томилин многому меня научила, что-то слишком часто я ее вспоминаю. Хорошо, что Стасов поручил мне в свое время это дело».

После океанариума они ходили изучать другую часть набережной, ту, что начиналась за сквером, разделяющим старую, «литературную», и новую, «политическую», части города. Новая набережная была пошире, и магазины на ней стояли другие, если на старой торговля шла в палатках и киосках, то здесь красовались торговые точки с собственными названиями, отдельными помещениями, витринами и кондиционерами. И цены в ресторанчиках и кафе были повыше, а вот пляж оказался точно таким же необорудованным и с платными пластиковыми шезлонгами. Настя и Леша поужинали в кафе под названием «Шарм», являвшем собой изящную, выполненную из дерева терраску, нависающую над пляжем. Названия в меню поражали изобретательностью, но еда была ужасающе невкусной.

— Что сказал бы драгоценнейший Яков Наумович, если бы увидел, как мы за такие деньги давимся чем-то совершенно несъедобным, — задумчиво произнес Чистяков. — Наверное, умер бы от ужаса. Он ведь говорил, что питаться мы должны только в своей гостинице, потому что у нашего хозяина самые лучшие повара.

— Но не возвращаться же ради еды на другой конец города, — рассудительно ответила Настя. — У нас с тобой запланирован осмотр улицы, на которой жил Евтеев, а это как раз в «политической» части. Давай уже скорее додавимся, расплатимся и пойдем искать дом.

На следующий день, 9 мая, Настя снова с утра предприняла попытку дозвониться хоть до кого-нибудь, но тщетно: телефоны или не отвечали, или выяснялось, что нужный человек будет доступен только после праздников.

— Все, решено, — твердо сказала она, закрывая блокнот, — сегодня будем предаваться сладкому безделью.

— Слава богу, наконец-то! — обрадовался Алексей. — Дай голове хоть немного полноценного отдыха.

Они разделись и устроились под «грибком» возле бассейна в своем отеле, заказали кофе и по два куска торта и нежились на горячем солнышке, то и дело ныряя в прохладную голубую воду, по очереди играли в игрушки на айподе Чистякова, потом Леша читал ей вслух какой-то детектив. Настя периодически проваливалась в дрему и удивлялась тому, насколько нединамично, затянуто и скучно написан роман: она просыпалась, включалась на полуслове и обнаруживала, что все понимает, словно и не пропустила ничего.

Вечером взяли такси и поехали в предгорье, в ресторан «Синее море», который активно рекламировал Николай Степанович Бессонов, уверяя, что таких хачапури, как там, они не найдут нигде в мире. Места в ресторане, как и во многих других ресторанах Южноморска, были устроены в отдельно стоящих беседках среди густой зелени, рядом протекала горная речушка, через которую был перекинут горбатый мостик, и воздух здесь был прозрачным и влажным. Цены в ресторане были запредельными, но зато хачапури действительно оказались потрясающими, нежными и сочными, Настя и Чистяков съели по три штуки и потом долго приводили себя в чувство при помощи зеленого чая.

Они сидели за столиком в беседке, и Настя вдруг увидела кота необычного окраса. Кот был симпатичный и толстый, коричневый с зеленым, а концы шерстинок — белые. Она тут же потянулась за фотоаппаратом — просто грех не запечатлеть такую красоту. Хорошо бы, чтобы удалось передать фактуру шерсти, и Настя оглянулась в поисках подходящего фона. Фон нашелся, это была оштукатуренная светло-бежевая стена здания ресторана, и солнечный свет падал прямо на нее, но встала задача поместить на этот фон привыкшее к свободе животное, да еще заставить его не жмуриться от яркого света. Однако кот оказался покладистым и охотно дошел до стены, привлекаемый запахом рыбы, кусочек которой Настя попросила у официанта, уносившего грязные тарелки с одного из столов. Чистяков стоял рядом с ней и держал вожделенный кусочек рыбы в пальцах вытянутой руки, кот сидел неподвижно, широко раскрыв глаза и не сводя застывшего взгляда с лакомства, а Настя быстро делала снимки. К ним подошел хозяин заведения, который оказался другом Бессонова.

— Можно посмотреть, что получилось? А то у нас многие Филимона снимают, а получается как-то не очень. Может, вам повезет больше.

Настя показала ему на дисплее снимки, и хозяин остался очень доволен.

— Замечательно, просто замечательно, — восторгался он. — Вы не дадите мне флэшку на пять минут? Я перекину фотографии на свой компьютер, потом напечатаю, мы их внутри в рамочках повесим. Знаете, Филимон у нас всеобщий любимец, уже шесть лет здесь живет, у него чудный характер, добрый и не вредный.

— Для кота странновато, — заметил Алексей. — Они обычно довольно своенравные.

— Нет-нет, Филимон не такой, — заверил их ресторатор, — у него очень развито чувство собственного достоинства, и людей он не боится, но и наглости себе не позволяет, в тарелки не лезет и еду не выклянчивает.

Настя отдала ему флэшку, искренне радуясь, что ее работа в качестве фотографа нашла хоть какое-то признание. В феврале в Томилине ей уже говорили, что у нее как-то особенно хорошо получается снимать животных, но тогда она сочла это банальным, ни к чему не обязывающим комплиментом. И вот теперь снова... Может быть, у нее и впрямь есть какие-то способности?

Когда вернулись в гостиницу, Бессонов предложил посидеть у бассейна, попить чайку, ему интересно было, какое впечатление произвел на гостей его любимый ресторан. После отчета о посещении «Синего моря» разговор естественным путем свернул на доктора Евтеева, который тоже любил там бывать. Настя поддерживала беседу, смеялась шуткам хозяина, а сама искоса поглядывала на Бессонова: а если это он? Если у него был повод отомстить Евтееву? Теперь она уже не сомневалась, что мотив убийства не корыстный, а личный, но какой именно? Как его обнаружить? Может быть, Лешка прав, и идти надо не от мотива, а от личности предполагаемого убийцы? Мог Бессонов убить тяжелобольного, умирающего друга? А Фридман мог? А его жена? А Галина Симонян? Все могли. И в то же время вроде бы никто из них не мог.

В третий выходной они отправились в дельфинарий, и Настя ела мороженое и так аплодировала, что отбила ладони.

— Знаешь, — сказала она мужу, когда представление закончилось и они выходили на улицу, — я даже в детстве так не хлопала, когда меня в цирк водили.

— Тебе в цирке понравилось меньше, чем здесь? — уточнил Чистяков.

Она покачала головой:

— Не в этом дело. В детстве все это воспринимается просто как фокус, тебе интересно, ты веселишься и хлопаешь. А сейчас-то я понимаю, сколько титанического труда стоит за каждым трюком, сколько сил, терпения и выдержки нужно, чтобы добиться таких результатов. И это меня восхищает. Я аплодирую не дельфинам, а тренеру.

— Выходит, тебе полезно было сходить в дельфинарий, чтобы это понять, — философски изрек Алексей. — Делаем вывод, что даже выходной день не прошел даром для твоего внутреннего роста.

— Да ну тебя! — рассмеялась Настя.

Но в глубине души она понимала, что насчет внутреннего роста муж прав. Этот рост начался внезапно и неожиданно, всего лишь с согласия сделать новую стрижку, тогда, в феврале, в провинциальном Томилине, но с того момента у Насти будто глаза стали раскрываться, и она начала осознавать, как многого в этой жизни она не знала, не видела, не слышала и не понимала, увлеченная работой и погруженная в повседневные дела. Может быть, выход на пенсию для того и придуман, чтобы люди начали наконец прозревать?

* * *

Концерт разочаровал, а ведь они специально заранее смотрели программу и радовались, что услышат свои любимые произведения — Третий концерт Бетховена и Второй концерт Сен-Санса. Оркестр явно не успевал за молодым солистом, который изо всех сил стремился продемонстрировать резвость пальцев и постоянно убегал вперед. Да и струнная группа подкачала... Только к дирижеру у супругов Сорокиных никаких претензий не было, его прочтение их полностью устроило.

После концерта они решили пройтись пешочком, вечер был тихим и приятно прохладным. Вилен Викторович, правда, ворчал, поминая недобрым словом и слишком ретивого солиста, и неудалую струнную группу, но Ангелина Михайловна делала вид, что не обращает внимания на дурное настроение мужа, и старалась завести с ним разговоры на отвлеченные темы. Но сбить Сорокина с толку оказалось не так-то просто. Если начал он с того, что ему не понравился концерт, то очень скоро ему уже не нравилась и Москва в целом, и их жизнь в столице в частности.

— Зря мы все это затеяли, — в сердцах бросил он.

— Ты о чем, Виленька? — встревожилась Ангелина Михайловна. — Что мы затеяли?

— Да все вот это! — Он сделал неопределенный жест рукой. — Конца этому не видно. А в результате я не могу распоряжаться своей жизнью так, как хочу. Я не могу лечь днем поспать, не могу посидеть с книгой, когда мне хочется, потому что должен таскаться по зоопаркам и планетариям. А ты? Ты же вынуждена без конца печь пироги и плюшки и развлекать разговорами старого солдафона. Разве это жизнь? Разве об этом мы с тобой мечтали? Ну скажи, Геля, неужели нам с тобой плохо было дома, в Новосибирске? Мы с тобой жили как хотели, ходили по театрам и концертам, много читали, много гуляли, все обсуждали и ни на кого не оглядывались.

Ангелина Михайловна не на шутку перепугалась. Откуда у Вилена такие настроения? Надо немедленно что-нибудь предпринять, чтобы эти пока еще слова не переросли в действия.

— Ну что ты, Виля, — она постаралась говорить успокаивающе, — зачем ты так? Мы с тобой вместе это решили, мы вместе пришли к выводу, что там, дома, мы чахнем от скуки, от безделья, от бесцельности нашего существования. А теперь у нас появилась цель, и мы обрели смысл. Разве не так?

— Я не вижу никакого смысла в том, что мы делаем, — резко ответил Сорокин. — Смысл есть только у Максима, вот перед ним действительно стоит цель, вполне понятная и осязаемая, а у нас что? Мы с тобой превратились в мальчиков на побегушках, выполняем его указания, делаем, что он велит. Тебе самой это не противно? Почему ты не хочешь бросить все, вернуться и снова жить как прежде? Давай все бросим и уедем, пусть Максим сам решает свои проблемы.

Нет, это, на взгляд Ангелины Михайловны, уже совсем никуда не годилось! Как это так: все бросить и уехать? А жизнь в столице? А театры, выставки, музеи, концерты? Новосибирск, конечно, крупный культурный центр, но с Москвой-то в любом случае его не сравнить. Тем более начинается лето, а значит — гастроли многочисленных трупп, среди которых бывают необычайно интересные. А как же спектакли в рамках Чеховского фестиваля? Надо во что бы то ни стало переубедить мужа.

— Но ты вспомни, как ты радовался, когда Максим в первый раз к нам приехал и рассказал о своем плане! Тебе же было интересно, ты с удовольствием поддержал его, обещал помочь. Ты так загорелся этой его идеей!

— Ну, то было тогда, а то — сейчас... Я не думал, что это будет так долго и так трудно. И так скучно. Я перестал быть хозяином самому себе, я превратился в дурака какого-то, который служит, как верный пес, молодому богатею. Мне в моем возрасте это противно, неужели ты сама не понимаешь?

Так бывало всегда: Вилен быстро увлекался чем-то, загорался, но точно так же быстро остывал и терял интерес.

— Но, Виленька, мы же не можем бросить Максима! Мы обещали ему, он на нас рассчитывает. В конце концов, это бесчестно — так подвести человека, который на нас понадеялся.

— Да кто бы говорил о чести! — вскипел Вилен Викторович. — У Максима твоего ни чести нет, ни совести, как у любого из политиканов, и мы, между прочим, ничем ему не обязаны.

— Как это не обязаны?! — искренне возмутилась Ангелина Михайловна. — А кто купил для нас эту квартиру? Кто помог приехать? Кто нас содержит, если уж на то пошло? На наши с тобой две пенсии разве много мы бы смогли себе позволить по московским-то ценам? Ты об этом почему-то не думаешь, а я, когда за продуктами хожу, впервые в жизни не думаю о том, сколько у меня в кошельке денег и что я могу на эти деньги купить. Билеты на любой концерт — пожалуйста, новый костюм, чтобы выглядеть достойно, — пожалуйста, не хочешь ехать на метро — вызывай такси, средства позволяют. Тебе же нравится так жить, правда? А платить за это ты не хочешь.

— Я не готов платить чувством собственного достоинства, — с вызовом проговорил он. — Мне семьдесят два года, и я не намерен прислуживать какому-то нуворишу на тридцать лет моложе себя. Я завтра же поговорю с ним и скажу, что мы уезжаем.

— Ни в коем случае, — твердо сказала Ангелина Михайловна. — Ты этого не сделаешь.

— Почему же?

— Мы должны довести дело до конца, иначе не сможем уважать сами себя. И не забывай, речь идет не только о политических амбициях Максима, но и о нас с тобой. Нашей жизни это тоже касается.

При этих словах Сорокин как-то сник и некоторое время шел молча, потом снова заговорил, на этот раз негромко и очень зло:

— Ты всегда мечтала жить в столице, я хорошо помню, когда мы были еще совсем молодыми, ты только и говорила, что о Москве. Спала и видела, как бы оказаться здесь. Медом тебе намазано. Теперь, на старости лет, ты готова продаться с потрохами за возможность жить в московской квартире. Неужели тебе не стыдно, Геля?

— А тебе не стыдно, что ты все забыл? Может, ты не только забыл, но и простить готов? Тебе дороже всего твой личный покой, твой личный комфорт, ты хочешь, чтобы тебя никто не трогал и чтобы тебе все прислуживали, а ты бы только читал, слушал музыку, гулял и спал, когда тебе хочется. Так не бывает, дорогой мой.

Слово за слово — и они поссорились, впервые за последние годы. В гробовом молчании дошли до ближайшей станции метро и так же молча добрались до дома.

* * *

10 мая, в последний из трех выходных дней, Максим Крамарев поехал к отцу. Виталий Андреевич постоянно жил на даче, отношения со второй женой у него были плохими, и они давно уже жили отдельно. Жена осталась в городской квартире, помогала дочери, сидела с внуками, а мужа никогда не навещала и, насколько понимал Максим, радовалась тому, что вообще его не видит. Однажды по просьбе отца Максим ездил к ней, передавал какие-то документы и остался выпить чаю, вот тогда и услышал он из первых уст, каким невыносимым стал Виталий Андреевич с возрастом и как надоел он своей жене непрекращающимся нытьем о всеобщей несправедливости современной жизни в стране. У отца, оказывается, были большие амбиции, он хотел делать карьеру, суетился, интриговал, подсиживал, наушничал, собирался стать

большим начальником или в профессиональной сфере, или по партийной линии, ему было в общем-то все равно, лишь бы иметь власть и прилагающиеся к ней атрибуты — отдельный кабинет, служебную машину и продуктовые пайки. В конце концов Крамарев-старший сделал ставку на партию, а ее взяли и запретили как раз в тот момент, когда уже все, казалось, было на мази и он вот-вот должен был стать освобожденным секретарем парткома крупного предприятия в Москве. После этого все пошло наперекосяк, потому что он так увлекся партийной карьерой, что упустил возможности профессионального роста, а наука и техника тем временем ушли далеко вперед, и догнать, наверстать упущенное он уже не сумел. Пришлось дотягивать до пенсии рядовым инженером и в шестьдесят лет уйти с работы.

Теперь Виталий Андреевич жил на даче и коротал время написанием мемуаров о советской власти. Максим как-то попросил почитать уже написанное и пришел в ужас от корявости языка и скудости мыслей. Это никто никогда не напечатает, потому что это скучно и очень тенденциозно, в тексте нет ничего, кроме самолюбования и подтасовки фактов таким образом, чтобы сам Виталий Андреевич выглядел молодцом.

Родители Максима развелись, когда мальчику было полтора года. Мать всегда говорила, что сама ушла от отца, но Максим до определенного момента в это не верил. Поверил он только тогда, когда узнал отца поближе и познакомился с его второй женой. Виталий Андреевич много лет сыном не интересовался, только алименты переводил, а два с лишним года назад неожиданно объявился и стал настойчиво советовать сыну пойти в политику, потому что власть, как он говорил, — это главное достижение в жизни настоящего мужчины. Отец обладал несомненным даром убеждения, потому и сделал в свое время «почти карьеру», и Максим повелся на эти разговоры, которые показались ему правильными, справедливыми. Он и сам не заметил, как попал под влияние отца. Максим Крамарев начал активную работу по продвижению себя в депутаты, а отец давал ему советы и строго спрашивал отчет по каждой мелочи. Максима это и смешило, и нервировало, он давно отвык отчитываться перед кем бы то ни было, но, с другой стороны, он не мог не признавать, что отец очень часто говорит дело и в людях разбирается.

Он еще только подошел к калитке, а Виталий Андреевич уже спешил ему навстречу, бодро спускаясь с крыльца.

— Сынок, наконец-то! Я так соскучился по тебе! Дай-ка я на тебя посмотрю.

Отец внимательно оглядел сына, и лицо его расплылось в довольной улыбке.

— Ты очень хорошо выглядишь, и костюм сидит отлично, и стрижка тебе идет. Это новая, да?

— Да, — чуть смущенно признался Максим, — имиджмейкер посоветовал сменить прическу. Ты считаешь, меня удачно постригли?

— Очень, сынок, очень удачно! И вообще, ты такой молодец, такой умница, я нарадоваться на тебя не могу. Ты один меня понимаешь, я с тобой душой отдыхаю.

Они вошли в дом, Виталий Андреевич бросился накрывать на стол, они перекусили, попили чаю, потом Максим неторопливо и подробно рассказывал о том, что делается в его предвыборном штабе, а отец то и дело хвалил сына и восхищался его умом, талантом и организованностью. Максим таял, как растаял и тогда, когда отец вдруг объявился после стольких лет глухого молчания. Мать была строгой и суровой, даже жесткой, она никогда не хвалила сына, только требовала быть еще лучше, еще старательнее, еще умнее, еще успешнее, а мальчику так не хватало любящего родителя, потому что Максим был уверен, что любовь — это мягкость, доброта и всепрощение, а вовсе не стремление сделать лучше для того, кого любишь. Ему казалось, что раз мать его не хвалит, значит, она им все время недовольна, а коль недовольна, стало быть, не любит.

Отношения с отчимом, маминым вторым мужем, у Максима тоже не сложились, в детстве и юности он чувствовал себя одиноким и брошенным, поэтому на появление родного отца откликнулся горячо и жадно. Тем более Виталий Андреевич, умевший находить подходы к людям, быстро нашел подход и к сыну. Сперва Максим, правда, пытался упрекать отца в том, что тот столько лет не появлялся и не интересовался своим ребенком, но Виталий Андреевич объяснил, что не хотел мешать новой семье бывшей жены и влезать в отношения Максима с отчимом, чтобы их не испортить. «Я же не знал, что у вас не сложилось, — оправдывался он. — Я был уверен, что вы живете в мире и дружбе, и не хотел болтаться между вами, как лишняя деталь. Я думал, ты его папой называешь, а про меня и не знаешь вовсе, ты же был совсем маленьким, когда мы с мамой расстались. Я берег твою психику, не хотел ее калечить». В тот момент Максима это очень тронуло, и в нем вспыхнула любовь к отцу, к родителю, который его хвалил и поощрял, который откровенно любовался им, и скучал по нему, и ждал его приезда. Не то что мама, которая, в отличие от Виталия Андреевича, никогда не говорила сыну, что соскучилась и не могла дождаться, когда же он приедет. Мама вообще скупа на добрые слова, а здесь, у отца, Максим просто купается в любви и восхищении.

Он как раз пересказывал отцу новый вариант предвыборной программы своего главного и самого опасного конкурента Разуваева, когда в кармане завибрировал мобильник. Максим взглянул на дисплей: нет, с этим человеком нельзя разговаривать в присутствии отца. Он быстро поднялся и вышел на крыльцо, заметив недоуменный и обиженный взгляд Виталия Андреевича. Конечно, отец вправе полагать, что у Максима нет от него секретов, ведь сын даже про свою любовницу Жанну ему рассказал. Но есть вещи, которые Крамарев-младший не может поведать даже Крамареву-старшему.

— Алло, — тихо произнес он в трубку, давая понять, что ему неудобно разговаривать.

Но разговаривать все равно пришлось, вернее, не столько говорить, сколько слушать.

— Я понял, спасибо, — произнес он в самом конце и отключился.

Значит, они продолжают что-то вынюхивать, но, похоже, сами не знают, что именно. Ничего, это не страшно, пока эта парочка в Южноморске, Крамареву ничего не угрожает. А в других местах они искать не станут, ума не хватит. И все-таки интересно, кто они такие? В милицию не обращаются, зафиксирован всего один контакт с сотрудником уголовного розыска, да и то с таким, который ничего не знает и потому не опасен. На самом деле беспокоиться пока совершенно не о чем, никто ничего не знает, а потому никто и не может быть опасен. Но просто любопытно, откуда они взялись и что им надо...

Максим вернулся в дом и сразу же наткнулся на осуждающий взгляд отца.

— У тебя от меня секреты, сынок?

— Никогда, — Максим широко улыбнулся. — Просто рано было рассказывать, а теперь, после этого звонка, уже можно. Пап, у меня появилась новая женщина... Ты не представляешь, какая она!

— Что, лучше Жанны? Кстати, ты обещал ее привезти сюда, познакомить нас.

— Папа, она не лучше Жанны, она просто другая. Она волшебная.

Что сказать еще, Максим не знал, и вел себя как влюбленный пацан. Виталий Андреевич строго сдвинул брови.

— И как далеко у вас зашло?

— Пока еще не зашло. Но вот она сейчас позвонила и дала понять, что может зайти...

— Сынок, не надо бы тебе распыляться в такой ответственный момент, — посоветовал отец. — Тебе сейчас требуются все силы, ты должен быть собран и сосредоточен, ведь начинается финальная часть предвыборной гонки, а ты роман завел. Это будет тебя отвлекать.

— Да? — Максим сделал вид, что прислушивается к его словам. — Ты так считаешь?

— Конечно, сынок, — горячо заговорил Крамарев-старший и принялся убеждать сына в том, что любовные отношения — вещь, безусловно, хорошая и даже полезная, но они должны быть ко времени. А если не ко времени, то могут только навредить.

Максим молча слушал и кивал, не выдвигая никаких контраргументов.

— Да, пап, ты, пожалуй, прав, — сказал он. — Мне это как-то в голову не приходило. Придется мне отложить развитие отношений до лучших времен, а сейчас все силы отдать выборам. Все-таки я у тебя не очень умный, да?

— Ну что ты, сынок, ты умница, ты редкий человек, так много успел, так многого добился в свои годы! Я горжусь тобой.

У Максима Крамарева хватало внутренней честности признаваться себе, что ездит он к отцу только ради того, чтобы слышать эти слова. Эти и им подобные.

* * *

Ардаев стоял, скорбно склонив голову, и слушал выступающих на гражданской панихиде бывших коллег. Хоронили подполковника в отставке, с которым Ардаев когда-то вместе работал, не очень тесно и недолго, но все-таки долг сослуживца призывал попрощаться с покойным и отдать ему последнюю дань уважения. Народу на панихиду собралось не так чтоб очень много, а ведь похороны специально переносили на день после праздников, чтобы люди успели вернуться с дач и из домов отдыха. Умер несчастный еще 6 мая, и, по-хорошему, хоронить надо было бы 8-го, на третий день, как положено, но родственники решили дождаться, пока все съедутся в Москву после праздников, чтобы панихида была похожа на панихиду, а не на сиротские похороны.

Ардаев слушал выступающих вполуха, исподтишка оглядывая присутствующих. Да, не жируют они на свои государственные пенсии, а ведь наверняка никто дома не сидит, все работают, кто где смог пристроиться. Есть, конечно, среди его бывших коллег и очень удачливые и успешные, и немало, но их здесь сейчас нет, у них нашлись дела поважнее проводов в последний путь. А сюда пришли те, кто, как и покойный, считают копейки, из которых складывается их нынешний достаток — пенсия да скромная зарплата. Одеты — глаза бы не глядели, сплошной ширпотреб, купленный на вещевом рынке, и лица у всех какие-то понурые, и не оттого, что похороны, а просто оттого, что жизнь тяжелая и безрадостная. Он, Ардаев, конечно, старается соответствовать и тоже улыбкой не сияет, но все-таки одет он не в пример остальным: дорого и со вкусом. У него один галстук стоит столько, сколько вся одежда на этом, к примеру, мужичонке, который когда-то был его, Ардаева, начальником. Ну и толку было в свое время делать карьеру, рвать задницу и из-под себя выпрыгивать, чтобы спустя короткое время видеть своих же подчиненных в полном шоколаде, а самому пустые щи хлебать? Нет, это не для него.

Панихида закончилась, родные и близкие в последний раз подошли к открытому гробу, и уже через десять минут процессия двинулась к вырытой могиле. Бросили, как полагается, по горсти земли, подошли по очереди к вдове и дочери, сказали какие-то слова поддержки и утешения и двинулись к выходу, где уже ждал автобус, чтобы везти на поминки. Ардаев прошел мимо автобуса к своей машине. На поминки он ехать не собирался, у него было куда более важное дело: на сегодня назначен последний визит к стоматологу, который заменит наконец временные коронки постоянными, и Ардаев сможет отныне улыбаться поистине голливудской улыбкой.

На прием к врачу он немного опоздал — попал в пробку.

— Слава богу, в последний раз, — сказал он, усаживаясь в зубоврачебное кресло. — Вам, наверное, смертельно надоело со мной возиться, работа-то проделана огромная.

— Ну что вы, — скромно улыбнулся врач, молодой, полноватый, с трехдневной щетиной на округлых щеках, — чем труднее работа, тем мне интереснее. Даже жаль, что мы с вами заканчиваем. Я для вас пригласил анестезиолога на всякий случай, но вообще-то процедура не страшная. Вы как?

Ардаев панически боялся любой боли, а уж о зубной и говорить нечего, он боялся даже обезболивающих уколов в десну, и страх этот, и вырабатываемый адреналин не давали лекарству действовать в полной мере. Сколько ни добавлял врач препарат — ему все равно было больно, и тогда доктор предложил вызывать анестезиолога, который вводил Ардаеву специальный коктейль. Один укол в вену — и благостный легкий сон, а при пробуждении все уже кончено, и ни боли, ни страха. Процедура Ардаеву понравилась. Зачем терпеть даже легкое неудобство, когда можно спокойно спать и ни о чем не думать?

— Конечно, — кивнул он, — давайте.

Через сорок секунд после укола он крепко уснул, а когда проснулся, его зубы были ровными, гладкими и красивыми. Доктор поднес Ардаеву зеркало.

— Ну, что скажете?

Ардаев широко улыбнулся и невольно залюбовался собой. Красота! Нет, подружку решительно пора менять, с такой улыбкой он теперь может рассчитывать кое на что получше тридцатитрехлетней засидевшейся в девках актрисульки.

Он расплатился и вышел из кабинета, а в холле остановился перед большим зеркалом и осмотрел себя с ног до головы. Хорошо, что он купил на днях этот костюм, сидит отлично и возраста не прибавляет. Ардаеву в прошлом году исполнилось шестьдесят, своего возраста он не стеснялся, считал, что еще достаточно молод, но ему казалось, что выглядит он старше своих лет. Он тщательно следил за прической и регулярно стригся в дорогом салоне, затеял улучшение зубов и старался, чтобы одежда подчеркивала только достоинства его фигуры, коих было, надо признаться, не так уж много. Недостатков-то куда больше...

Но все равно, у покойного, с которым он сегодня простился, все уже позади, для него все закончилось, а у него, у Ардаева, все еще впереди. Его ждут самые лучшие годы и самые яркие удовольствия, его ждут новые машины, дорогие курорты и красивые женщины. Только бы все получилось! «Получится, обязательно получится, — думал он, легко сбегая по ступенькам к выходу на улицу и подходя к своему автомобилю, — первая часть плана прошла без сбоев, почему вторая должна не получиться? Конечно, не все здесь зависит от меня, слишком много людей вовлечено в процесс, но, в конце концов, им ведь можно и помочь, если будет нужно».

Садясь в машину, он слегка придержал дверь, чтобы не задеть проходящую мимо женщину, и улыбнулся ей своей новой ослепительной улыбкой. На душе стало легко.

Глава 9

Наконец-то праздники закончились, наступило 11 мая, и Настя Каменская приободрилась. Сегодня должен вернуться из Арабских Эмиратов Евгений Евтеев, а также Лада Якушева, девушка, которая была сиделкой у Дмитрия Васильевича Евтеева и которая на все праздники уезжала в горы на турбазу, о чем им сообщила мать Лады. Первым делом Настя позвонила Евгению на мобильник, но тот сказал, что рейс из Дубаи на Москву у него только во второй половине дня, а потом из Москвы ему предстоит ночной перелет в Южноморск, после которого он намерен хоть немного выспаться, так что встретиться с детективом из Москвы он сможет не раньше завтрашнего обеда. Зато Лада Якушева, вернувшаяся в Южноморск накануне поздно вечером, согласилась встретиться прямо сегодня. По телефону с ней договаривался Чистяков: Настя сочла, что беседовать с молодой девушкой лучше обаятельному москвичу, чем тетке сомнительного возраста.

— Что я должен у нее спросить?

Чистяков достал айпод, вывел на дисплей клавиатуру и приготовился записывать подробные инструкции.

— Понимаешь, Леша, для того чтобы так точно улучить время взлома квартиры, нужно долго за ней наблюдать, — объяснила Настя. — Сама заказчица утверждает, что никого подозрительного не замечала, но она не из тех, кто стреляет глазами во все стороны. Она мне показалась такой погруженной в себя, не видящей ничего вокруг. У нее работа, у нее больной умирающий отец, она вся в своих мыслях и проблемах и по сторонам не смотрит. А вот молоденькая девушка, к тому же симпатичная...

— А это точно, что симпатичная? — с интересом перебил ее Чистяков.

Настя пожала плечами:

— Так говорит заказчица. Сам увидишь. Так вот, такая девушка обязательно смотрит по сторонам и ловит мужские взгляды, она постоянно готова к знакомству, к тому, что встретит своего прекрасного принца. Сиделка могла кого-нибудь заметить.

— Ясно. А что я должен ей врать?

— Врать? — не поняла Настя.

— Ну, что я должен ей говорить? Я вообще кто? Твой муж?

— Ты — частный детектив из Москвы, к которому обратилась Валентина Евтеева. Зачем что-то выдумывать? Говори правду.

— Это ты называешь правдой? — усмехнулся Леша. — Какой я, к чертовой матери, частный детектив? Слушай, мне твоя затея не особо нравится, может, все-таки лучше ты сама с ней поговоришь?

— Лешенька, — взмолилась она, — ну пожалуйста, я тебя очень прошу! Она со мной будет разговаривать абы как, лишь бы отвязаться побыстрее, и ничего вспоминать не станет, она даже не постарается вспомнить.

— А со мной, думаешь, будет не так? — с сомнением спросил он.

— Конечно, нет! Ты ей интересен, ты — незнакомец из Москвы, красивый, высокий, хорошо одетый, обаятельный. Ты пригласишь ее в кафе и будешь угощать коктейлем и пирожными, будешь говорить ей комплименты, и она захочет, чтобы ваш разговор продлился как можно дольше, а для этого ей придется постараться и вспомнить.

— Ну ладно, — вздохнул он, — уговорила. Теперь учи меня, как надо задавать вопросы, чтобы был толк.

— В первую очередь попроси ее вспомнить день, когда убили Дмитрия Васильевича...

Инструктаж занял примерно полчаса, после чего они отправились в сквер рядом с дельфинарием — именно там Лада Якушева назначила Алексею встречу.

И вот теперь Настя сидела в сквере и ждала мужа, который встретил девушку и повел ее на новую набережную пить кофе с пирожными. Время тянулось мучительно, и она от нечего делать принялась фотографировать многочисленных собак и кошек, бродящих по скверу как с хозяевами, так и без оных. Кошки, судя по откормленности, имели постоянную прописку в точках общепита, а вот собаки были разные: и ухоженные, и откровенно бездомные. Особое внимание привлекла беременная сука невнятной породы, она показалась Насте необыкновенно выразительной. Собака лежала в песочнице перед маленьким домиком с треугольной крышей, края которой создавали необходимые для построения кадра диагонали, но проблема была в том, чтобы поместить саму собаку не в центр, а в место пересечения воображаемых линий, делящих кадр на девять равных прямоугольников, как того требовало «правило деления на три части», о котором Настя прочитала в учебнике по фотографии. Как только Настя отходила в сторону и удавалось поместить собаку в нужную точку кадра, диагонали оказывались не на месте и портили всю композицию. Пришлось пойти на известный риск, купить в киоске гамбургер и с его помощью отвести собаку в то место, которое наиболее подходило для построения кадра по всем канонам. Теперь будущая мама была на переднем плане слева, диагонали крыши — на среднем плане справа, а на заднем плане виднелись высокие кипарисы, врезающиеся в ярко-голубое небо. С композицией Настя кое-как справилась, но теперь, глядя в видоискатель, она понимала, что для выразительности очень не хватает цветового пятна. Увлекшись фотографированием, она стала всегда носить с собой вместе с фотоаппаратом три маленьких платочка основных цветов — желтого, синего и красного. Собака, которую удалось переместить из песочницы в другое место, теперь лежала на траве, и на ее зеленом фоне отлично смотрелось небольшое красное пятно — платочек.

Настя так увлеклась беременной собакой и попытками сделать выразительный снимок, что совсем не обращала внимания на окружающих, и конечно же, она не заметила сидящую неподалеку полную красивую даму в простом сарафане в мелкий «деревенский» цветочек. А коль так, то она и не узнала, что дама посматривала то на нее, то в сторону кафе, куда Чистяков увел сиделку Ладу Якушеву.

Она сделала с добрый десяток снимков, потом начала экспериментировать с цветом — ей показалось, что желтое пятно на зеленой траве будет выглядеть менее активным, зато вызывающим ассоциации с солнцем и покоем. Потом подошел черед синего пятна, которое Настя поместила на светло-коричневую деревянную крышу детского домика... А потом она увидела Чистякова, который шел по пересекающей сквер дорожке. И внезапно заметила, как обернулись ему вслед две молодые женщины, шедшие навстречу. Алексей шел, освещенный солнцем, такой стройный, ладный, подтянутый, шел своей легкой упругой походкой, на которую Настя, к своему стыду, впервые обратила внимание только минувшей зимой, когда смотрела на мужа из окна гостевого домика старинной усадьбы. А вот и еще одна женщина заинтересованно посмотрела ему вслед. Надо же, как им интересуются дамочки! А вот ею, Настей Каменской, уже никто не интересуется...

Алексей подходил все ближе, и Настя стала рассматривать его пристально и придирчиво. Совершенно белые волосы, морщинки на лице и шее. Господи, они же состарились вместе, а она даже не заметила! Но при этом Лешка продолжает сохранять мужскую привлекательность, то есть, говоря циничным языком рыночных отношений, он сохраняет товарную ценность, а она эту ценность уже утратила. Она не поймала на себе за последнее время ни одного заинтересованного мужского взгляда. Какой же он у нее красивый! А она — чучело. Хорошо еще, что взяла с собой платье, сшитое Тамарой, оно Лешке очень нравится, и его можно будет надеть послезавтра, в день пятнадцатой годовщины их свадьбы. И хорошо, что дала Тамаре уговорить себя сделать стрижку. Настя представила себя с прежним хвостиком, в джинсах и в футболке и невольно поежилась. Сзади пионерка, спереди пенсионерка. Наверное, в своем прежнем виде она выглядела просто смешно. А Лешка хорош необыкновенно... И почему она раньше этого не видела?

— Почему ты так странно смотришь? — спросил он, подойдя к ней. — Что-то не так? У меня порваны брюки?

— Леш, ты жутко красивый, — выпалила Настя. — На тебя все бабы заглядываются, шеи себе посворачивали.

— Не выдумывай! Собирай вещи, и пошли в одно интересное место, — скомандовал Чистяков.

— Куда?

Она подняла платочки и принялась торопливо собирать и укладывать в большую сумку фотопринадлежности.

— Я поведу тебя в кафе «Джоконда», — торжественно объявил он.

— Зачем? — удивилась Настя.

— Кажется, у вас это называется выездом на место происшествия, — с загадочным видом сообщил Алексей. — Встреча с девушкой оказалась небесполезной, я узнал много нового и интересного.

— Ну а кафе-то тут при чем?

— Говорят, это самое крутое место в городе, там повар по десертам — настоящий итальянец, и если мужчина хочет очаровать даму, он непременно ведет ее в «Джоконду». И кофе там самый лучший.

Про пирожные Настя уже слышать не могла, за последнюю неделю она объелась ими на долгие годы вперед, а вот известие про самый лучший в городе кофе ее взбодрило: выпить действительно хорошего кофе ей здесь удавалось нечасто.

— То есть ты хочешь меня очаровать? — на всякий случай уточнила она с улыбкой.

— А что, надо? — ответил он вопросом на вопрос. — На самом деле в этом кафе происходили важные для твоего расследования события, и я считаю, что нам имеет смысл посмотреть обстановку на месте.

— Я готова, — сказала Настя. — Ну давай же, рассказывай.

— Не раньше, чем мы доберемся до места и сделаем заказ. Иначе мой рассказ не произведет нужного впечатления.

— Ну, Леш, не вредничай, ты же видишь: я умираю от любопытства.

— Идем, идем, — он потянул ее за руку.

— Далеко идти-то?

— Нет, рядом, на новой набережной. Мы с тобой мимо пару раз проходили, но внимания не обращали.

Как ни силилась Настя, но вспомнить эту «Джоконду» она так и не смогла. И когда они мимо нее проходили? Может, Лешка шутит?

Однако когда он подвел ее к круглому зданию с куполом, она вспомнила: действительно, они здесь шли, и здание это Настя помнит, только вывеску она не прочла, отвлеклась на что-то. Оказалось, что кафе со знаменитыми десертами располагается на первом этаже, а на втором находится ресторан с банкетным залом.

От десерта она отказалась, хотя меню с картинками действительно поражало воображение, и заказала только две чашки кофе, правда, разного.

— А чего ты сладкое не берешь? — огорченно спросил Чистяков. — Говорят, здесь оно потрясающе вкусное.

— Леш, у меня внутри от сладкого уже все слиплось, — пожаловалась Настя. — Я же десерты здесь каждый день ем. Я больше не могу.

— Ну ладно, как хочешь. А я закажу.

Он заказал девушке в униформе, стилизованной под итальянское народное платье, три вида десертов и приступил к рассказу. Лада Якушева оказалась и в самом деле очень симпатичной, даже почти красивой, и, как многие провинциалки с хорошими внешними данными, мечтала о достойной жизни рядом с богатым мужчиной желательно не противной внешности. Сиделкой у Дмитрия Васильевича Евтеева она работала без малого год, отношения и с самим доктором, и с его дочкой у нее были хорошие, и платили они щедро, где еще такой заработок найдешь! Работа, конечно, нелегкая, но и оплата соответствующая. Девушка нечасто отлучалась от постели больного, ну, иногда в ближайший магазин сбегает или с подружкой посидит в кафе на набережной, это же совсем рядом, но всегда это бывало только с разрешения Дмитрия Васильевича, и то если он себя неплохо чувствовал.

Незадолго до убийства Лада познакомилась с таким мужчиной, ну уж с таким мужчиной — ну просто всем мужчинам мужчина. Зовут Владимиром. Он сразу завоевал сердце девушки тем, что в первый же вечер пригласил ее пить кофе именно в «Джоконду», где такие цены — никакой сиделке не по карману. Во второй раз они встречались в «Джоконде» днем, когда Лада была на работе, но это же совсем рядом с домом Дмитрия Васильевича, всего минут пять-семь быстрым шагом, и Евтеев ее отпускал. И в третий раз они тоже днем пили кофе, и тоже в «Джоконде». В день смерти Евтеева Владимир снова пригласил ее на свидание, Дмитрий Васильевич отпустил ее на полчаса, Лада побежала в «Джоконду», но со свидания вернулась не через тридцать минут, а почти через час, потому что кавалер слегка опоздал, и не прерывать же свидание через пять минут после его прихода, это как-то глупо. Да и вкусненького десерта ей очень хотелось, а без кавалера она заказывать не решалась: вдруг Владимир совсем не придет и ей придется расплачиваться. Ну, пока официантка подошла, пока заказали, пока съели, пока поболтали немножко — время и прошло. Жаль, правда, что больше они не виделись, но все равно воспоминания приятные.

— Я спросил, может ли она описать этого Владимира, и записал все, что она вспомнила.

— Лешка, ты — гений, — довольно улыбнулась Настя. — Не зря я тебя отправила к Ладе. Но каков этот Владимир подлец, а? Ловок до невозможности. Выманил девчонку из квартиры, совершил убийство и быстренько побежал пить кофе, дескать, прости, родная, опоздал, так получилось.

— Ну да, — кивнул Чистяков, облизывая ложку, — теперь понятно, что это был не случайный залетный воришка, а человек, который готовился к убийству заранее, специально познакомился с сиделкой, приглашал ее на свидания, дарил цветы и говорил комплименты.

— Что, и цветы дарил? — не поверила Настя.

— Лада говорит — дарил, а там кто знает, — усмехнулся Алексей. — Девушки частенько привирают, преувеличивают интенсивность ухаживания, уж нам ли с тобой не знать.

— Это верно, — согласилась она. — Но главный вопрос все равно остается открытым: убийца что-то взял в квартире или его единственной целью было лишение Евтеева жизни исключительно по личным мотивам? И Стасов молчит.

— А что ты хочешь от него услышать? — поинтересовался Чистяков.

— Он обещал собрать сведения о родословной Евтеевых, может, там какие-нибудь дворянские или купеческие корни.

— Ты имеешь в виду наличие семейных реликвий?

— Ну да. Стасов обещал узнать, но пока ничего не говорит. Наверное, у него, как у всех нормальных людей, были длинные праздники. Ладно, Лешик, давай составлять план на ближайшее время. Значит, завтра у нас младший Евтеев. А сегодня я бы пообщалась с теми, кто у меня остался по списку, они вроде бы должны уже появиться. Ты как?

— Ой, нет, — замахал руками Алексей, — меня уволь, если можешь. Я и так надорвался с этой Ладой, не понимаю, как ты можешь встречаться с несколькими людьми за один день. Давай ты будешь с ними разговаривать, а я погуляю.

— Ну давай, — согласилась Настя. — Извини, если я тебя утомила. Покажи мне словесный портрет этого Владимира, который дала Якушева, буду прикидывать его ко всем фигурантам.

Ей стало неловко. Ну в самом деле, она за столько лет службы в розыске привыкла опрашивать большое количество людей, и это занятие не казалось ей утомительным. Насте даже в голову не приходило, что кто-то может уставать от такой, в сущности, пустяковой работы.

* * *

— И кто это был? — требовательно спросила Линда Хасановна, когда Петр наконец появился в сквере.

— Да это сиделка доктора Евтеева, кажется, ее зовут Ладой.

— Ты уверен?

— Обижаете, Линда Хасановна, я ее хорошо запомнил еще с того времени, как ее к следователю таскали.

— Почему это ты ее хорошо запомнил? — Линда недобро прищурилась. — Потому что она молодая и красивая?

— Я ее запомнил, потому что я добросовестный работник, — терпеливо ответил Петр. —

И не смей меня ревновать, красивее тебя на свете нет женщины.

Линда смягчилась и улыбнулась.

— Ладно. А о чем они говорили?

— Ну, это вы, Линда Хасановна, с меня много требуете! — возмутился Петр. — Насчет тех-
ники я сказал, только толку пока никакого, хотя
и обещали помочь. А с девочкой я поговорю отдельно, это будет нетрудно. Она мне сама все
расскажет. А что у тебя? Что поделывала твоя
подопечная сыщица?

Линда движением, исполненным презрения,
пожала плечами.

— Фотографировала. Ты только представь:
беременная собачка, такая жара, и вместо того
чтобы помочь несчастной, напоить ее, накормить, устроить в тенечке, она ее фотографировала! Да еще гамбургером приманивала! У нее вообще нет сердца! Нет, я просто не понимаю, как
это можно: беременную собаку кормить гамбургером!

— Конечно, — усмехнулся Петр, — была бы
твоя воля, ты бы всех бездомных собак домой
взяла и возилась бы с ними. Ну скажи мне,
что плохого в том, что эта москвичка фотографировала собаку? Чего ты на нее взъелась?
И кстати, чего ты рассиживаешься? Пойдем,
они в «Джоконде» кофе пьют, как бы нам их не
упустить.

— Я рассиживаюсь! — вспыхнула Линда. — Я, между прочим, тебя ждала, не уходила, хотя и видела, что он ее уводит куда-то.

— Ну вот, а я потолокся немного на набережной и увидел, куда они пошли. И перестань дуться, это портит твою красоту.

Они быстрым шагом направились в сторону ресторана «Джоконда» и устроились на парапете напротив высокого широкого окна, через которое хорошо были видны московские сыщики.

— Узнать бы, как их зовут, — задумчиво проговорил Петр. — Есть идеи?

— Только если через гостиницу. В милиции нам ничего не удалось узнать, кроме того, что они частные сыщики и работают по заказу дочери Евтеева. А в гостинице наверняка знают все паспортные данные.

— Возьмешься?

— Естественно, — фыркнула Линда. — Тебе с этим не справиться, гостиничные барышни — это моя клиентура. Посмотри, она ничего не ест, только кофе пьет. И надо было ради этого переться в «Джоконду»! Сюда понимающие люди ходят специально десерты кушать, а она... Тьфу! Вот мужчина у нее молодец, ему весь стол тарелками заставили. И вообще он — хоть куда, а бабенка у него негодящая. И бессердечная.

Петр искоса глянул на Линду и промолчал. Он понимал, что происходит. Полная, пышнотелая Линда жутко комплексовала из-за своего веса, который никак не хотел уменьшаться, невзирая на все ее ухищрения с диетами, и худенькая москвичка с девичьей тонкой фигуркой вызывала у нее раздражение и неприязнь.

— Не понимаю, как можно с такой спать, — не унималась она. — Ни кожи ни рожи. И глаза злые. Никакой красоты.

— Согласен, — подхватил Петр, который был искренним поклонником пышных форм и действительно считал свою подругу самой красивой женщиной в мире.

— Что — согласен, что — согласен? — Линда сама не заметила, как повысила голос. — Ты только так говоришь, чтобы меня утешить, а сам пялишься на всех стройненьких девиц, которые мимо проходят. Вот все вы, мужики, такие!

— Все мужики не такие, — рассудительно возразил он. — Стройненькие девочки радуют глаз, а хотят мужики именно таких, как ты, пышных, в теле. Одно дело хотеть глазами, и совсем другое...

— Да как можно хотеть такое, как у меня, — уныло произнесла Линда упавшим голосом, не сводя глаз с московской сыщицы, пьющей кофе за оконным стеклом. — Ты сам посмотри: тут висит, там торчит... Ужас какой-то! И ведь я бьюсь за каждый грамм, не помню, когда в последний раз жареную картошечку ела, сладкого в рот не беру, а толку — ноль. А этой, московской, хоть бы что, вчера целый день мороженое и торты трескала. Ненавижу! Злая она!

— Линда Хасановна, успокойся. Ты просто ей завидуешь, потому и говоришь про нее гадости. Ну какая она злая? Просто немолодая уставшая тетка. Между прочим, она старше тебя как минимум лет на десять, если не больше, так что не завидуй, ты все равно лучше и моложе, — утешил ее Петр. — Да, то, что у тебя висит и торчит, выглядит не очень эстетично, тут я не спорю, но мне-то все равно это нравится, и я это хочу. Давай сменим позицию, а то мы слишком долго торчим на одном месте, как бы они нас не заприметили. Хочешь, пообедаем пока?

— Нет, рискованно. Сейчас он доест свои десерты, и они могут уйти в любой момент. Надо проследить, куда они потом пойдут.

— А в гостиницу когда?

— Да найду момент, — отмахнулась Линда. — Успеется. Вот вечерком отправлю тебя общаться с сиделкой, а сама в гостиницу заявлюсь. Нет, — тут же задумчиво поправила она сама себя, — не так. «Райский уголок» — отельчик крохотный, там номеров, насколько я помню, не больше десятка, соваться туда опасно, каждое новое лицо на виду. Я лучше присмотрю администратора и прогуляюсь за ней до дома или куда там она пойдет после работы. Они, по-моему, в десять вечера сменяются.

— А не в восемь?

— Нет, — твердо ответила Линда, — в десять, я хорошо помню. Смотри-ка, расплачиваются. Сейчас будут выходить. Но до чего все-таки хорош мужик, а? И за что этой каракатице такое счастье?

— Не придумывай, — строго оборвал ее Петр, — мы ничего не знаем точно, может, они просто коллеги.

— Ну да, — вздохнула она, — знаем мы этих коллег... Достаточно на нас с тобой посмотреть. Нет ничего опаснее совместной работы.

Они наблюдали за своими «объектами» до самого вечера. Линде и Петру пришлось разделиться, потому что женщина ходила по адресам и с кем-то встречалась, а мужчина бродил по улицам, заходил в ресторанчики, кафе и магазины и вообще бездельничал. А может, что-то выискивал? Но в любом случае в контакт он вступал только с барменами, официантами и продавцами, да и то, судя по выражению его лица, ничего серьезного не спрашивал. И, только убедившись в том, что московская парочка вернулась в отель ужинать, наблюдатели отправились по своим делам.

Встретились они поздно вечером в квартире Линды. Петр пришел раньше — беседа с Ладой Якушевой не заняла у него много времени, девушка оказалась болтливой и падкой на мужское внимание, а Линда, которая должна была дождаться, пока закончится смена у администратора отеля «Райский уголок», явилась в первом часу ночи.

— Линда Хасановна, я поесть приготовил, — тоном первого ученика доложил Петр. — У нас жареная рыба и макароны. Садись скорее.

— Петруша, — застонала Линда, — ну сколько можно повторять: на ночь есть вредно! Ты на часы смотрел?

— Но я голодный! — возмутился он.

— Надо было поесть пораньше, — строгим учительским голосом произнесла Линда. — Зачем ты меня ждал? Ты же знал, что я все равно есть не буду. И потом, кто позволил тебе жарить рыбу?

— А что такого? — удивился он.

— Ты ведь на масле жарил, а это сплошной холестерин. Тебе нельзя. Петруша, ты как маленький ребенок, ей-богу! Надо было отварить или запечь в духовке. Я категорически запрещаю тебе это кушать.

— Так что теперь, выбрасывать?

— Значит, выбрасывать, — в ее голосе отчетливо звучали металлические ноты. — Если я не буду следить за твоим здоровьем и правильным питанием, ты вообще загнешься через месяц.

Кстати, тебе пора сдавать кровь на холестерин, уже год прошел с тех пор, как ты в последний раз сдавал анализ. Завтра же сходи в поликлинику.

— Знаешь, любимая, — медленно произнес Петр, — в мире еще очень много стран, народы которых нуждаются в свободе от тирании.

И Линда моментально потухла, словно внутри ее пышного упругого тела повернули выключатель. Петр удовлетворенно улыбнулся, положил на свою тарелку огромный кусок жаренной в масле рыбы и начал есть. Линда молчала и смотрела в окно.

Несколько лет назад, когда Петр увольнялся со службы в милиции, он в течение нескольких дней подряд здорово нарушал антиалкогольный режим — надо было проставиться и «накрыть поляну» всем коллегам и старым знакомым. Они тогда уже жили вместе в квартире Линды. В один из этих дней он, придя домой, нарвался на скандал: Линда начала выговаривать ему за беспрерывное пьянство.

— Так нельзя, — почти кричала она, — ты загубишь себя, ты и без того плохо выглядишь, а беспробудным пьянством ты окончательно посадишь и поджелудочную железу, и печень. И клетки мозга, между прочим, тоже. Кому ты будешь нужен, больной и безмозглый? Ты даже на стакан кефира не сможешь себе заработать!

Или ты уверен, что я никуда не денусь и буду содержать тебя до конца жизни? Нашел дуру!

Увлекшись своими оптимистическими прогнозами, Линда не заметила, как перешла ту грань, за которой у Петра лопнуло терпение. Вообще-то он всегда был спокойным, медлительным, флегматичным, и такой вспышки она от него никак не ожидала. Петр вдруг переменился в лице, открыл клетку с любимцем Линды — попугаем Аркашей, и с диким криком: «Свободу народам Африки!!!» — выкинул несчастную птицу в окно. Попугай оказался свободолюбивым, расправил крылья и улетел. Линда охнула, выбежала на улицу, она пыталась догнать Аркашу, потом несколько недель искала его по всему городу, развешивала объявления, в которых обещала награду тому, кто найдет попугая, но тщетно. Больше она Аркашу не видела.

Спустя какое-то время Линда, большая любительница животных, завела морскую свинку, потом появилась черепаха, за ней — кот. А вот Петр братьев меньших не жаловал, хотя и терпел в силу спокойствия и флегматичности нрава. Однако он все время держал свою эмоциональную подругу в тонусе, и когда она уж очень его доставала, намекал на то, что кого-нибудь из питомцев вполне может выкинуть из дома во имя свободы угнетенного народа. Петр был не лишен известного чувства юмора, и, когда

Линда впервые после утраты любимого попугая принесла нового обитателя квартиры — морскую свинку, он предложил назвать ее Анголой. Линда беды не почуяла, наоборот, страшно обрадовалась, что ее любимый пусть хотя бы таким образом, но готов принять участие в судьбе животного. Черепахе, оказавшейся мужского пола, было предложено имя Гондурас, и недоброе предчувствие тогда впервые шевельнулось в любвеобильной душе хозяйки дома, а когда Петр заявил, что изящному гладкошерстому черному котику вполне подойдет кличка Сенегал, было уже поздно. Обычай сложился, и теперь Линде приходилось по возможности следить за собой, чтобы ее забота о любовнике не стала слишком навязчивой и назойливой. Как правило, ей это удавалось, но иногда она забывалась, и тогда Петр произносил страшную фразу, начинающуюся словами: «Знаешь, любимая...»

Петр с удовольствием поедал рыбу, и Линда мучилась от желания съесть хотя бы макароны, хорошо бы еще посыпать их сыром и заправить сливочным маслом. Но нельзя. Она и без того слишком толстая. Надо отвлечься самой от мыслей о еде и отвлечь Петрушу от непростительной ошибки, которую она, Линда, только что совершила.

— Знаешь, эта парочка, оказывается, состоит в браке, — сказала она как можно равнодушнее.

Петр поднял голову и с интересом посмотрел на нее.

— Да? И с кем же?

— Друг с другом. Только у них фамилии разные. Но живут они в одном номере. И в паспортах у них штамп о регистрации брака.

— Очень хорошо, будет о чем доложить шефу. Зря ты не ешь, между прочим, рыба очень вкусная. И полезная.

— Она вредная!

— В ней витамины, — хладнокровно сообщил Петр. — И кислоты какие-то, я забыл, как они называются.

— Она жареная, ни тебе, ни мне этого нельзя. Вот посмотришь, ночью у тебя будет ныть желчный пузырь, — грозно пообещала Линда, забывшись, и тут же спохватилась и перевела разговор на другое: — Что тебе удалось узнать?

— У Лады спрашивали про мужчину, с которым она познакомилась незадолго до убийства доктора. Как ты думаешь, это опасно?

— Не знаю. Нам ведь ничего не говорят, нас просто наняли, чтобы мы держали шефа в курсе. Да нам-то какая разница?

— И то верно, — кивнул Петр, подбирая кусочком белого хлеба масло с опустевшей тарелки и делая вид, что не замечает неодобрительного взгляда Линды. — Лишь бы деньги платили. Завтра с утра позвоним, доложимся.

Их нашел и нанял человек из Москвы, случилось это больше трех месяцев назад, вскоре после убийства Евтеева, велел отслеживать телодвижения милиции и следствия по раскрытию преступления против старого доктора. Связи у Линды и Петра в правоохранительных органах были крепкие, и за очень небольшие деньги им удавалось узнавать все, что нужно. В чем состоит интерес шефа, им не объясняли, просто дали задание и телефон человека, которому они должны докладываться. Ничего опасного в следствии не происходило, дело порасследовали немножко и прикрыли. В тот момент Линда и Петр думали, что с этим заданием покончено, однако совсем недавно им снова позвонили: шефу стало известно, что по Южноморску разгуливает какая-то парочка, которая интересуется сыном покойного доктора. Нужно было выяснить, что к чему. Вот они и выясняют. Практически вслепую, но зато за хорошие денежки.

* * *

В информации, которую полковник Алекперов получил от неизвестного ему источника, содержались, помимо прочего, сведения о следователе, который вел когда-то дело о нарушениях правил валютных операций, то самое дело, из которого непонятным образом «выпал» Валерий Стеценко. На то, чтобы найти этого следователя, много времени не ушло, он давно вышел на пенсию и жил в Москве. Правда, Хана предупредили, что он очень больной и немощный и, похоже, немножко выжил из ума, но Алекперова это не огорчило, а даже совсем наоборот: следователи, как, впрочем, и другие сотрудники КГБ, обычно не рассказывают о своей прошлой работе, привыкли, что она вся проходила под грифом «секретно», и хранят свои тайны, несмотря на то что проходит не один десяток лет. Если бы следователь Полищук оставался в здравом уме и твердой памяти, шансов у Хана было бы крайне мало, а так все-таки есть надежда вытащить из старика хоть что-то.

Николай Федорович Полищук выказал немедленную готовность к встрече, и Хан понял, что старик отчаянно изнывает от скуки. Был Николай Федорович сгорблен, плохо ходил и почти ничего не видел, хотя, насколько Хану было известно, возраст у него был не таким, чтобы выглядеть дряхлым стариком, всего-то семьдесят четыре. Жена Полищука смотрелась вполне бодрой моложавой дамой и торопливыми шажками металась по маленькой квартирке, готовя нехитрое угощение и чай для гостя.

— Видишь, во что я превратился, — сетовал Николай Федорович, — совсем ничего не могу, болезни замучили. Боюсь, бросит меня жена-то, она у меня еще молодец, а я уже никуда не гожусь, только на таблетках и уколах еще как-то тяну. Ты пей чай-то, пей.

Сам он без конца требовал от жены подлить ему чаю погорячее и упрекал ее:

— Что ты мне все помои какие-то носишь! Кипяточку, кипяточку принеси.

Что касается валютного дела, то истосковавшийся по общению старый следователь ничего скрывать не стал. Правда, он долго не мог взять в толк, каким именно делом интересуется полковник Алекперов, потом старательно напрягал память и наконец вспомнил, что в какой-то момент следствия его вызвали к руководству управления и сказали, что в связи с «оперативной необходимостью» фигуранта Стеценко надо вывести из материалов дела, да так, чтобы следа не осталось. Какая такая была необходимость — ему не пояснили, это было не принято, но в кабинете руководства при разговоре присутствовал офицер из другого управления, которое занималось обеспечением охраны государственной тайны на госпредприятиях.

— Фамилию офицера не помните? — спросил Хан, ни на что, впрочем, не надеясь.

— Не помню? — Полищук хрипло рассмеялся. — Да я ее и не знал никогда. Я эту рожу в первый и в последний раз видел. Мне мое начальство его представило, только имя назвать забыло. А я и не спрашивал. Мне велели — я сделал, лишних вопросов не задавал. Стеценко тот даже свидетелем не пошел, вынес я его из дела начисто. А что случилось-то, полковник? Для чего тебе эта история?

— Да убили этого Стеценко, вот восстанавливаю всю его жизнь, чтобы понять, кому он мог дорожку перейти, — ответил Хан полуправдой-полуложью.

— Ой, врешь, полковник, — Николай Федорович прищурился и вперил в Алекперова подслеповатые глазки, — ой, врешь. С какой такой поры полковники милицейские простыми трупами занимаются? Или Стеценко в большие люди вышел и олигархом заделался? Кем он был-то, пока его не грохнули?

— Работягой, квартиры ремонтировал, — пробормотал Хан.

Видно, бывший следователь Полищук из ума-то не совсем еще выжил, соображает быстро и четко.

— Ну вот, я ж говорю — врешь, — удовлетворенно изрек Николай Федорович. — А ну давай, спроси меня еще что-нибудь, я тебе все расскажу, ничего не утаю. Я эту контору знаешь как ненавижу? Да будь она проклята на веки вечные!

— Что так? — вскинул брови Хан.

Уйти от Полищука ему удалось только через полтора часа, старика словно прорвало, и он все не мог остановиться, рассказывая, как предала его служба, как отказалась от его профессионализма, опыта и знаний, как выперла его на пенсию, молодого, полного сил и желания работать, и как тяжело и долго он после этого болел, и в какую развалину он теперь превратился... Нет, все-таки Николай Федорович был слабоват на голову, а его точный вопрос оказался единственным проблеском ясного в прошлом ума.

Глава 10

Несмотря на то что Сорокины постоянно были готовы к общению с соседями, звонок Льва Сергеевича все-таки застал их врасплох. Ангелина Михайловна изучала купленный накануне альбом живописи эпохи Ренессанса, а Вилен Викторович с упоением предавался просмотру-прослушиванию записанного на видео концерта оркестра под управлением Зубина Меты. Ему не хотелось отрываться от своего занятия, поэтому, когда зазвонил телефон, он сделал жене знак взять трубку и выйти из комнаты. Ангелина послушно ушла разговаривать в кухню, но уже через пару минут ворвалась в комнату и возбужденно заговорила:

— Виля, собирайся, Лев Сергеевич нас приглашает.

Вилен Викторович с недовольным лицом остановил диск.

— Что случилось? Его ненасытная утроба снова проголодалась?

— Ну зачем ты так? — с упреком проговорила Ангелина Михайловна. — К нему сын приехал, он хочет нас познакомить.

В глазах Вилена мелькнул интерес.

— Какой сын? Леонид? Или... тот?

— В том-то и дело, что он не сказал! А вдруг тот?

Они быстро переоделись, сменив домашнюю одежду на более приличествующую случаю, и отправились к Гусаровым.

Едва войдя в комнату в сопровождении Льва Сергеевича, они сразу поняли, что удача наконец повернулась к ним лицом. Им уже показывали альбомы с семейными фотографиями, поэтому одного взгляда на сидящего на диване молодого мужчину оказалось достаточно, чтобы убедиться: перед ними младший сын Гусаровых Александр. Именно тот, кто интересовал супругов Сорокиных. Некрасивый, с грубым, словно небрежно вылепленным лицом, он ни одной своей черточкой не походил ни на мать, ни на отца. При появлении гостей он вежливо встал и коротко кивнул:

— Здравствуйте, я — Александр, очень рад познакомиться, родители много о вас рассказывали.

— Мы тоже очень рады, — приветливо откликнулась Ангелина Михайловна, — и тоже много о вас слышали. Вы ведь художник, если я не ошибаюсь?

— Это верно, — улыбнулся Александр.

Улыбка у него была приятная, и все его грубое некрасивое лицо сразу стало мягче и будто бы светлее.

— А где вы выставляетесь? Знаете, мы с мужем большие любители живописи, и мы обошли все московские галереи, но ваших работ нигде не встречали. Вы уж простите мою прямоту, но про художника Александра Гусарова вообще никто не слышал. Или вы любитель?

— Ну... — Александр слегка замялся, — можно и так сказать. Во всяком случае, в среде профессиональных художников меня не признают. Папа, давай я сделаю чаю гостям.

Его попытка сменить тему выглядела отчаянно неловкой, и любой воспитанный человек отступил бы и перестал задавать неудобные вопросы, но Сорокины не могли себе этого позволить. Они должны были «добить» тему до победного конца во что бы то ни стало.

— Сашенька, а чем же вы занимаетесь на самом деле? — продолжала допытываться Ангелина Михайловна. — Если живопись для вас просто хобби, то чем вы зарабатываете на жизнь? Люсенька говорила, что вы состоятельный человек и материально помогаете своим родителям. Вы не сочтите меня бестактной. Я уже в том возрасте, когда можно позволять себе любые вопросы.

— Санька, да что ты дурака-то валяешь? — вмешался Лев Сергеевич. — Чего придуриваешься? Скажи как есть, не стесняйся.

Александр молчал, и Гусарову пришлось продолжать самому.

— Это для нас он Санька, а как художник он носит имя Борис Кротов, — пояснил он с горделивой улыбкой. — Но в галереях вы его работ не найдете. Его портреты висят только в частных коллекциях.

— Что вы говорите? — изумилась Ангелина Михайловна. — А почему? И зачем вам творческий псевдоним?

Она изо всех сил старалась, чтобы ее голос звучал естественно и чтобы изумления не было ни слишком много, ни слишком мало. Все это, насчет псевдонима и частных коллекций, она уже давно знала, но не имела права выдавать свою осведомленность.

— И почему именно Борис и именно Кротов? — подал голос до того момента молчавший Вилен Викторович.

Ангелина бросила на мужа благодарный взгляд: он задал правильный вопрос, совершенно необходимый, а вот она сразу-то и не сообразила. А вопрос Александру не понравился, да и Лев Сергеевич отчего-то смутился.

— Мне всегда нравилось имя Борис, — сказал Александр. — Оно мне кажется коротким, емким, мужественным.

— А почему Кротов?

Лев Сергеевич вздохнул и умоляюще посмотрел на сына.

— Саня, Ангелина Михайловна и Вилен Викторович — наши соседи, мы с мамой много общаемся с ними. Давай уж не будем ничего скрывать. Дело в том, что Саня нам не родной. Его мама была...

— Мама умерла, когда я был совсем маленьким, — перебил его Александр. — И меня усыновили папа Лева и мама Люда.

От Сорокиных не укрылся быстрый взгляд, который бросил на сына Лев Сергеевич. Однако понять, что именно было в этом взгляде — упрек или понимание, — им не удалось.

— Мамина фамилия — Кротова. Вот и все объяснение.

— А почему вы ограничиваетесь частными коллекциями? — не отставала Ангелина.

— Видите ли, я пишу только портреты, а портреты всегда интереснее самим моделям и членам их семей, чем широкой общественности. Папа, давай все-таки угостим наших гостей чаем, я пирожные принес. Очень вкусные.

На этот раз намек был таким прозрачным, что не заметить его было бы верхом неприличия, и Сорокиным пришлось отступить. Александр увел отца в кухню готовить чай, и Сорокины остались в комнате одни.

— Черт, сорвалось! — с досадой прошептал Вилен Викторович.

— Да, жалко, мы были буквально в двух шагах, — согласилась Ангелина. — Но, возможно, не все еще потеряно. Надо напроситься к нему домой посмотреть работы, может быть, в другой обстановке и без отца он станет более разговорчивым.

— Надо попробовать. Жаль, что Люся на работе, в ее присутствии было бы проще вытянуть из них правду. Ты бы начала с ней беседы на всякие материнские темы, и ей было бы не отвертеться.

— Тише!

Ангелина Михайловна предостерегающим жестом подняла палец и прислушалась. Стоял по-летнему теплый день, дверь на балкон была распахнута настежь, и до них донеслись приглушенные голоса — Лев Сергеевич и Александр разговаривали на кухне, окно которой тоже было открыто.

— Ничего не разобрать, — тихо проговорила она. — Давай выйдем на балкон.

Вилен Викторович покорно встал с кресла, в котором так уютно и удобно было сидеть. С балкона действительно было слышно каждое слово, произнесенное в расположенной рядом кухне.

— Санька, ведь столько лет прошло. Я не вижу смысла...

— Пап, я не хочу. Просто не хочу. Понимаешь?

— Нет, не понимаю, — голос Льва Сергеевича стал сердитым. — Зачем делать из этого проблему? Сынок, прошло много лет, и теперь...

— Я не хочу об этом вспоминать. И не хочу вдаваться в подробности, тем более в разговоре с малознакомыми людьми. Усыновили — и усыновили, и хорошо. Никому не интересны эти детали с опекой и квартирой.

— Саня, это для тебя Сорокины малознакомые люди, а мы с мамой их очень хорошо знаем, мы встречаемся и общаемся каждый день, и нам неловко им все время врать. Мы вынуждены считаться с твоими причудами, но нам это иногда бывает в тягость. Не понимаю, почему нельзя объяснить людям, что ты на самом деле Кротов по паспорту, а Гусаровым ты вообще никогда не был, потому что мы тебя не усыновляли, а оформили опеку, чтобы сохранить для тебя квартиру. И видишь, мы не прогадали, оказались правы, ты эту квартиру продал и купил себе дом, в котором устроил мастерскую. Почему надо все это скрывать? Чего стыдиться? Ну что за блажь?

— Я не хочу, — твердо и медленно произнес Александр. — Я не хочу никаких разговоров ни о маме, ни об убийстве, ни о моих чувствах и переживаниях по этому поводу. Вы с мамой Людой — мои родители, вы меня вырастили вместе с Ленькой и Маринкой, вы меня кормили, одевали, воспитывали, дали мне возможность получить образование. Вы дали мне брата и сестру, семейное тепло и родительскую любовь, и у меня нет ни малейшего желания обсуждать с кем бы то ни было тот факт, что вы мне не родные. Пап, давай оставим эту тему, с тобой я ее тоже обсуждать не хочу. Смотри, в сахарнице песку — на донышке, а банка вообще пустая. У вас что, сахар закончился? Иди развлеки гостей, а я сбегаю в магазин.

— Да не надо, сынок, мы у Сорокиных займем, у них всегда все есть. Сейчас я скажу Ангелине — она принесет.

— Я смотрю, вы тут просто общежитие устроили, — насмешливо заметил Александр. — Может, у вас уже и бюджет общий? Вы с соседом женами еще не меняетесь?

— Санька! Ты все-таки с отцом разговариваешь, а не с этими твоими бандитами, ты думай, что говоришь!

При этих словах Вилен Викторович поморщился. Точно такую же мину он корчил, когда в супе ему попадался вареный лук. Все-таки когда в человеке нет интеллигентности, то и шутки у него грубые и скабрезные, а откуда этой интеллигентности взяться, если пишешь портреты одних отморозков и с ними же и общаешься? Но придется делать вид, что ничего этого супруги Сорокины не знают и принимают гусаровского приемыша за истинного представителя культурной элиты.

Уселись пить чай с пирожными. Ангелина Михайловна предприняла еще несколько попыток направить разговор в нужное русло, но безуспешно. Правда, напроситься в мастерскую к Александру «посмотреть работы» Сорокиным все-таки удалось.

— Только вы предварительно позвоните, — предупредил их Александр, — если у меня сеанс, то посторонние мне мешают, я никому не позволяю находиться в доме, кроме своей домработницы. Ну и модели, естественно. А если сеанса нет, то милости прошу в любое время, я покажу вам работы, которые делал не на заказ, а для собственного удовольствия.

Вернувшись к себе, Сорокины подвели итог состоявшегося знакомства. Теперь они официально знают, что Александр — не родной сын Гусаровых. Более того, они знают, что его настоящая фамилия — Кротов. И это уже плюс. А вот то, что он молчит об убийстве матери и вообще не говорит о ее смерти, — это минус. Потому что без обсуждения трагической смерти Ларисы Кротовой невозможно выйти на то, что так нужно Сорокиным и без чего не может обойтись Максим Крамарев.

Весь вечер Вилен Викторович ворчал, что придется теперь тащиться за город смотреть картины, которые просто по определению не могут представлять никакого интереса для тонкого ценителя искусства.

— Виленька, не будь таким снобом, — уговаривала мужа Ангелина Михайловна. — Посмотрим его работы, от нас не убудет. Зато мы, может быть, продвинемся в наших поисках. Да мы уже значительно продвинулись сегодня.

— Ну разве что... — вздыхал Сорокин. — Чем быстрее мы справимся, тем быстрее все это закончится. И никакой нувориш с политическими амбициями не сможет больше диктовать, что мне делать и как жить. Скорей бы уж.

* * *

Валентина поглубже вдохнула, втягивая ноздрями запах Гашина, и зажмурилась от наслаждения. Запах был горьковатым и немного терпким, напоминающим не то полынь, не то дым от хорошего табака. Его обнаженное плечо, как и все тело, было смуглым и гладким, и Валентине отчего-то пришло на ум сравнение с шоколад ным яйцом, внутри которого спрятана детская игрушка. Внутри Славомира тоже прятался сюрприз, только пока непонятно было, приятный или не очень. Несмотря на физическую близость, Гашин оставался закрытым и почти незнакомым. Они встречаются ежедневно вот уже целую неделю, а Валентина так ничего и не знает о нем, кроме имени и профессии. Правда, теперь она еще знает, каков он в постели — хорош во всех отношениях: ласковый, внимательный, заботливый, правда, не особенно сильный, ее прежний любовник, директор института, был посильнее и более изобретателен, но разве это имеет значение? Значение сегодня имеет только то, что Славомир лежит рядом, обнимая ее одной рукой, и это означает, что она, Валентина Евтеева, отныне его женщина, она принадлежит ему, такому умному и красивому, такому необыкновенному, она любит его и имеет право находиться подле него. По сравнению с этим счастьем меркнут такие мелкие детали, как сексуальная слабость и отсутствие интереса к разнообразию.

Гашин осторожно вытащил руку из-под Валентининой спины и потянулся за часами.

— Тебе пора? — грустно спросила она.

— Нет пока, у меня еще есть немного времени. Но я боюсь, что вернется твоя хозяйка. Не хотелось бы, чтобы она меня застала в твоей постели.

«Почему?» — хотела спросить Валентина. Почему надо делать секрет из их отношений? Что в них такого запретного или неприличного? Может быть он женат, и об этом знают все, кто бывает в доме Крамарева? Возможно, они даже знакомы с его женой... Или все-таки есть какие-то отношения с учительницей арабского? Вопросы вертелись на языке, но Валентина их не задала: с самого начала их знакомства как-то так сложилось, что он ничего не рассказывал, а она не смела спросить.

— Нина Сергеевна не скоро придет, — успокоила она Гашина. — Она после работы собиралась еще ехать в Москву, у ее приятельницы день рождения. Давай еще поваляемся. Слава, я хотела тебе кое в чем признаться.

Он приподнялся на локте и настороженно посмотрел на нее, слегка прищурив глаза. Сегодня он впервые с момента первой встречи снял очки с затемненными стеклами, и Валентина не могла налюбоваться его длинными густыми ресницами, очерчивающими контуры глаз словно карандашом-подводкой.

— Тебе не понравилось? — суховато спросил Гашин. — Я тебя разочаровал?

— Да ты что! Все было великолепно, лучше просто не бывает! Я о другом... Слава, ты меня прости, но я тебя обманула. Честное слово, без всякого злого умысла, просто я влюбилась в тебя с первого взгляда и очень хотела тебе понравиться. Ты не сердишься?

— Пока не знаю, — снисходительно улыбнулся Славомир. — Это зависит от того, в чем именно ты меня обманула. Так в чем же? Ты — шпионка, работающая на конкурентов Крамарева?

Валентина расхохоталась:

— Слава, милый, ну какая из меня шпионка? Я — самый обыкновенный научный сотрудник, технарь...

— И пишешь диссертацию, — закончил он. — Это я уже слышал.

— Не пишу, — призналась Валентина. — Я ее давно уже написала и защитила.

— Ничего себе! — Гашин подложил под спину подушку и сел в постели. — Так ты настоящий кандидат наук? Или даже доктор?

— Кандидат. Но я действительно занимаюсь физикой низких температур, тут все правда.

— А наврала зачем?

— Мне нужно было как-то объяснить свое пребывание в Москве... И потом, раз ты тоже ученый и тоже технарь, то мы вроде как родственные души. Я же говорю: понравиться хотела.

Ей казалось, что тема исчерпана и Славомир ее сразу же простил, ведь ложь ее была, по сути, совершенно невинна, Валентина не прибавляла себе заслуг, а, напротив, умаляла их, и потом, она же сама призналась, не дожидаясь, когда ее припрут к стенке, уцепившись за какую-нибудь ошибку в словах или поведении.

Однако Славомир, похоже, ее точку зрения не разделял. Брови его дрогнули и чуть сдвинулись к переносице.

— Что значит — оправдать свое пребывание в Москве? Объяснись, будь любезна. Для чего ты на самом деле приехала сюда из Петербурга?

— Не из Петербурга, — расстроенно поправила его Валентина.

— А откуда же?

— Из Южноморска. Не сердись, Славочка, родной мой, я просто не хотела выглядеть в твоих глазах обыкновенной провинциалкой.

Она не заметила, как губы его сжались в тонкую некрасивую щель. Перепуганная недовольством в его голосе, Валентина даже боялась смотреть на любовника и принялась торопливо рассказывать, какие печальные обстоятельства на самом деле привели ее в столицу.

Но Гашин ее даже не дослушал, прервав на полуслове.

— Может быть, у тебя и имя другое? — надменно спросил он. — И никакая ты не Валентина? Кстати, я до сих пор не знаю твоей фамилии, но теперь, вероятно, интересоваться этим бессмысленно, ты все равно солжешь.

— Я действительно Валентина, — тихо произнесла она. — Валентина Евтеева, если тебе это интересно.

Славомир резко откинул одеяло, отшвырнул его на пол, схватил со спинки кресла свою одежду и принялся одеваться.

— Слава, ну что ты, — растерянно бормотала Валентина. — Не сердись, я тебя умоляю, я не хотела ничего плохого, честное слово... Это все только для того, чтобы понравиться... Я же не виновата, что влюбилась в тебя сразу же... Ну Слава, Славочка, родной мой, ну не надо, пожалуйста...

Он одним движением застегнул «молнию» на куртке из тонкого трикотажа и шагнул к двери.

— Я никогда не имею дело с лжецами. Я думал, что встретил светлую, спокойную, чистую женщину, которую я понимаю, а оказалось, что мне приходится иметь дело с мошенницей и обманщицей. Спасибо, что твоя сущность вскрылась уже сегодня, пока еще наши отношения не зашли слишком далеко. Я не желаю больше тебя знать.

— Но Слава... Слава, подожди, не уходи!

Но он уже хлопнул дверью, потом раздались его быстрые тяжелые шаги вниз по лестнице, на первый этаж, потом Валентина уловила звук открывающейся и закрывающейся входной двери. Все. Он ушел.

Брошенное Гашиным одеяло так и валялось на полу, и Валентина не могла отвести от него глаз. Что случилось? Почему? Почему он пришел в такую ярость от ее признания? Неужели Нина Сергеевна была права, когда говорила, что в столице не любят людей с горестными проблемами? Неужели дело именно в этом? Наверное, да, ведь Славомир даже не дослушал ее — настолько ненужен, неинтересен был ему рассказ Валентины. И сама Валентина сразу же стала ему не нужна. «Он подумал, что мне нужна помощь, — думала она, кутаясь в халатик в попытках спастись от внезапного сотрясающего озноба. — Ну конечно, он решил, что я совсем обнаглела от близости с ним и собиралась воспользоваться его расположением, чтобы добиться помощи. Ведь как он рассудил? Я — хитрая провинциальная щучка, которая не может самостоятельно справиться со своими проблемами и у которой нет ни денег, ни связей. А тут подворачивается крупный ученый, у которого, наоборот, все это есть, и щучка всеми правдами и неправдами затаскивает его в постель, чтобы потом, когда он размякнет, разжалобить его и заставить помогать. Если бы он меня дослушал, он бы понял, что я справляюсь сама и мне ничего от него не нужно! Но он не дослушал и ушел. Теперь он меня ненавидит и презирает. Я знаю, что нужно сделать: нужно найти его и все объяснить, нужно заставить его дослушать меня до конца, и тогда он поймет, что ошибался, что у меня не было никакого корыстного расчета, что я действительно его люблю. И он вернется».

Согреться все не удавалось, и Валентина, завернувшись в поднятое с пола одеяло, спустилась на кухню, достала из шкафчика початую бутылку коньяка из запасов Нины Сергеевны, налила треть стакана и выпила залпом. Коньяк обжег грудь изнутри, но через пару минут озноб прекратился, и Валентина немного расслабилась. То, что произошло, ужасно, горько, обидно, но поправимо. Сейчас она ляжет в постель и постарается уснуть, а завтра пойдет в лес на другой стороне шоссе, дождется Славомира и поговорит с ним. Она все ему объяснит, и он поймет ее. Не может не понять. Ведь он такой умный, такой необыкновенный. Да, она совершила непростительную глупость, но все еще можно поправить.

* * *

Евгений Евтеев предложил Насте Каменской встретиться у него дома. Чистяков от совместного визита отказался — ему гораздо интереснее было изучать жизнь города, чем встречаться с братом заказчицы.

— Я тебя провожу, а то ты без меня адрес не найдешь, — авторитетно заявил Алексей.

Евгений жил возле парка имени Пушкина, вернее, возле того, что от парка осталось, в нарядном просторном доме за высоким забором. Уже с первых минут разговора стало понятно, что Настя напрасно ждала его возвращения из-за границы: Евтеев-младший ничего интересного не рассказал ни о врагах отца, которых он попросту не знал, ни об имеющихся у покойного ценностях.

— Мне сказали, что ваши отношения с Дмитрием Васильевичем были далеки от безоблачных, — аккуратно заметила Настя.

Евтеев равнодушно посмотрел на нее и пожал плечами:

— Да, это правда. И что с того? Вы полагаете, я из-за этого мог убить папу?

А что? И такое бывает.

— Не расскажете подробнее? — попросила она.

— Да тут нечего рассказывать. Папе не нравилось, что я занимаюсь бизнесом, он считал, что современный российский бизнес сплошь построен на криминале и, соответственно, я тоже замаран. Ему это претило, он был кристально-честным человеком, к рукам которого ни крошки грязи за всю жизнь не прилипло. Вот и весь конфликт. Папа считал мой бизнес грязным и мои деньги тоже грязными, поэтому отказывался от материальной помощи с моей стороны.

— Значит, вы ему не помогали?

— Еще как помогал! Но не впрямую, а через Валю. Мы с ней так наловчились врать, чтобы папа ни о чем не догадался!

И Евгений задорно расхохотался, сверкая отлично сделанными металлокерамическими зубами. «Нет, он не убивал, — подумала в этот момент Настя. — Не то чтобы он не мог, может кто угодно. Но ему просто незачем это делать. В нем нет ни капли ненависти к отцу, да что там ненависти — даже неприязни я не чувствую. Ни разу за весь разговор он не назвал Дмитрия Васильевича отцом. Только папой».

— Сколько же лет вы прожили в конфликте с отцом? — спросила она.

— Сколько лет? — Евгений задумался. — Да много, Анастасия Павловна. Вот вы спросили — и я понял, что все началось намного раньше, чем я занялся бизнесом. Вообще после переезда из Руновска у меня отношения с папой разладились.

— Не вспомните, почему?

Евгений развел руками и сложил полные губы скобочкой.

— А нипочему. Просто разладились — и все. До переезда папа был добрым, компанейским, веселым, выпить любил, шутил много, смеялся. А здесь, в Южноморске, его как будто подменили. Мне тогда было семнадцать, и я просто злился на папу, потому что он вдруг стал строгим, требовательным, постоянно сердитым и недовольным. Теперь-то я понимаю, что он так тяжело переживал перемену обстановки и окружения. Вам, наверное, уже говорили, что в отделении его приняли очень плохо?

— Говорили, — подтвердила Настя.

— Вот видите. На место завотделением планировался совсем другой врач, и вдруг появился папа, которого в больнице никто не знал и не ждал. Кому такое понравится? Конечно, на папу все окрысились, и он не мог не чувствовать этого и не переживать. Представьте себе: все кругом чужое и враждебное. Тут кто угодно взбесится. Так что теперь, когда я стал уже большим мальчиком, — Евгений обезоруживающе улыбнулся, — я стал понимать, почему у папы тогда так испортился характер.

— А ваша сестра тоже это чувствовала?

— Валя-то? Да что она тогда могла понимать! Она еще маленькая была. Ну, стал папа строже и требовательнее, но разве в том возрасте задумываешься над такими переменами? Просто принимаешь поведение родителей как данность и подстраиваешься под нее.

Они проговорили еще минут сорок, и Настя вдруг обратила внимание на то, что Евгений совершенно не интересуется результатами ее расследования. Он только отвечает на поставленные вопросы, сам же ни одного вопроса не задал. Это настораживало. Настя подождала еще немного, разговаривая о знакомых Дмитрия Васильевича, потом спросила:

— Евгений, вам что, совсем не интересно, как продвигается наше расследование? Ведь речь идет не о постороннем человеке, а о вашем родном отце.

Евтеев насмешливо посмотрел на нее.

— Да кому оно нужно, это ваше расследование? Вы все равно ничего не узнаете и никого не найдете.

Вот это уже интересно. Так обычно рассуждают сами преступники, если уверены в собственной ловкости и безнаказанности.

— Почему вы так уверены, что я никого не найду и ничего не узнаю?

— Потому что вы не там ищете. Это Валя вас сбила с панталыку, а вы идете у нее на поводу. Я на сто процентов уверен, что папу убил какой-то отморозок, который просто шерстил все квартиры подряд — авось где-нибудь дверь окажется хлипкой и можно будет поживиться, чтобы хватило на дозу.

— Но вы же, насколько я понимаю, дали денег сестре, чтобы она заплатила за расследование. Зачем давали, если уверены, что Валентина не права?

— Ой, Анастасия Павловна, будто вы не знаете, как это бывает! Валя вбила себе в голову, что должна восстановить справедливость, что не может спать спокойно, пока преступник не пойман и не наказан. Думаете, мне легко было смотреть, как она мучается? Она же моя сестра, и я ее люблю. Вот и дал денег, чтобы она уже наконец сделала то, что считает нужным, и успокоилась.

— То есть, проще говоря, отвязалась? — холодно спросила Настя.

— Ну, если вам так понятнее — то да, отвязалась. Хотя я бы такое слово не употреблял. Вы поймите, отца все равно не вернуть, так какой смысл надрываться в поисках убийцы?

— А как же справедливость? — удивилась Настя.

— В чем вы видите справедливость? В том, что мы с Валей лишились отца, и вместо этого кто-то лишится свободы? Вы считаете, что это равноценная замена?

Настя с интересом наблюдала за Евгением. Да, мыслит он нестандартно, и такие люди, как правило, не особо заостряют свое внимание на том, кто как к ним относится. Пожалуй, непонимание со стороны отца беспокоило этого человека меньше всего, и крайне маловероятно, чтобы плохие отношения с Дмитрием Васильевичем могли заставить его пойти на преступление. Нет, он не убийца. Кроме того, он не имеет ничего общего с тем словесным портретом, который дала Чистякову сиделка Лада Якушева, то есть если Евгений Евтеев все-таки убил своего отца, то нанимал для этого киллера. Зачем такие сложности? Это уже ни в какие ворота не лезет.

Выйдя из дома Евтеева и шагая к тому месту, где они с Чистяковым договорились встретиться, Настя уныло думала о том, что еще два с половиной часа потрачены впустую. Алексея в условленном месте еще не было, и она открыла блокнот и стала просматривать заметки. В общей сложности в списке знакомых Дмитрия Васильевича Евтеева, которых имело смысл опросить, изначально было двадцать три фамилии, с кем-то удалось встретиться за время праздников, еще троих Настя разыскала сегодня с утра, и теперь список сократился до двенадцати человек. Она посмотрела на часы: половина пятого. Кое-что можно успеть еще сегодня.

Она принялась нажимать кнопки на мобильнике, обзванивая людей из списка и одновременно поглядывая по сторонам в ожидании мужа. Ей повезло, удалось договориться о четырех встречах.

— Давно ждешь? — раздался откуда-то из-за спины голос запыхавшегося Чистякова.

— Давно. Куда ты пропал?

— Извини, Аська, у меня уважительная причина. Я искал место для завтрашнего торжественного обеда.

— Для чего? — изумилась она.

И тут же спохватилась. Сегодня 12 мая. Завтра — 13-е, пятнадцатая годовщина свадьбы. С этим убийством доктора Евтеева она совсем голову потеряла.

— То есть я хотела спросить: нашел место? — неловко попыталась она исправить оплошность.

Трудно было бы предположить, что Алексей оплошность не заметил, не такой он человек. Зато он добрый и великодушный.

— Нашел. Не без труда, но нашел. По-моему, очень симпатичное. Завтра увидишь. Приличная кухня и совершенно очаровательный интерьер. Для нашего с тобой семейного праздника в самый раз. А у тебя что нового?

— Леш, я есть хочу, — жалобно проныла Настя. — Давай ты меня накормишь где-нибудь, а я тебе все расскажу. Только не предлагай мне кофе и десерты, у меня такое чувство, что я последние десять дней только и делаю, что пью кофе и трескаю сладости и мороженое. Я хочу простой человеческой еды.

— Например? Мяса? Или ты предпочитаешь рыбу?

— Леш, только ты не смейся... Я хочу спагетти, — призналась она. — Таких, знаешь, обыкновенных длинных макарон с мясом и соусом и салат из помидоров и огурцов.

Они зашли в первое же попавшееся на пути заведение, где в меню значились спагетти, и Настя с удовольствием навернула тарелку макарон и мисочку овощного салата. Только после этого она приступила к изложению своей беседы с сыном доктора Евтеева.

— В общем, я опять вытянула пустышку, — констатировала она. — У меня на вторую половину дня назначены еще четыре встречи, но чутье мне подсказывает, что ничего интересного я не узнаю. Получается, что в Южноморске я бессмысленно потратила и собственное время, и деньги заказчицы. Но зато мне пришла в голову мысль... Будешь слушать?

— Не буду, — усмехнулся Чистяков. — Я ее и так могу угадать.

— Ну, попробуй, — недоверчиво протянула Настя.

— Ты подумала о том, что если у доктора Евтеева так заметно изменился характер в момент переезда из Руновска в Южноморск, то, возможно, именно в Руновске и произошло что-то такое, что имеет отношение к его убийству.

Настя с испугом посмотрела на мужа. Конечно, он знает ее много лет, очень много, и легко может предсказывать ее реакцию на любые события, но чтобы до такой степени проникать в ход ее мыслей... Это невероятно. Неужели правда, что люди, много лет прожившие вместе, становятся похожи друг на друга?

— И есть еще одна вещь, о который ты до сих пор почему-то не подумала, — продолжал Алексей. — Мне она давно пришла в голову, но я все ждал, когда ты сама об этом заговоришь. А ты все не говоришь и не говоришь.

Настя поежилась, ей стало неуютно.

— Какая вещь?

— Доктора могли убить вообще не из мести.

— Ну вот, и ты туда же! — с досадой воскликнула она. — Я же тебе тысячу раз проговаривала свои соображения насчет случайного грабителя. Просто ты плохо меня слушаешь.

— Я тебя отлично слушаю. Теперь ты послушай меня. Месть буквально накануне естественной смерти — это действительно штука сомнительная. А вот убийство пока еще живого человека имеет большой смысл. Не догоняешь?

Настя медленно положила на стол зажигалку, которую нервно крутила в пальцах, и пристально посмотрела на Чистякова.

— Ты хочешь сказать, что это могло быть убийство с целью не дать Евтееву совершить определенные действия?

— Именно, Асенька, именно. Например, не дать ему кому-то что-то рассказать. Или обнародовать какой-нибудь компромат, который, кстати сказать, вполне мог у доктора храниться и который изъяли в момент убийства. Почему ты ни разу не подумала в этом направлении?

— Потому что у меня зашорены глаза, — грустно проговорила Настя. — Я вбила себе в голову, что врач, детский хирург, не может быть связан ни с каким компроматом и ни с каким бизнесом. А ты, как всегда, прав. Но я себе не представляю, откуда у Евтеева мог взяться какой бы то ни было компромат. Я встречаюсь с его окружением и вижу, что среди них нет никого, кто бы...

— Ася, вот помяни мое слово — корни этого дела надо искать в Руновске, — твердо заявил Алексей. — Не зря у доктора характер так испортился. И испортился он не потому, что ему здесь было плохо, а потому, что перед его отъездом из Руновска там что-то произошло. Что-то такое, о чем он знает кое-что нехорошее, и спустя много лет появилась опасность, что он кому-то об этом расскажет.

— Спустя много лет... — задумчиво повторила Настя. — Это значит, что мне нужно искать человека, совсем недавно появившегося в окружении доктора. Это должен быть или какой-то старый знакомый, которого давно не было видно, или кто-то совсем новый. Леш, но мне пока такой не попался.

— Сколько человек осталось в твоем списке?

— Двенадцать.

— А было?

— Двадцать три.

— Говоря математическим языком, осталось больше половины. Это означает, что шансы у тебя еще очень хорошие, — подытожил Алексей. — Не унывай, подруга, у тебя все получится, я уверен. Но в Руновск ехать все равно придется.

— Леш, мне неловко... Я тебя выдернула из Москвы, сорвала с работы, обещая отдых на курорте, а теперь тебе придется тащиться вместе со мной в этот зачуханный Руновск. Давай я одна поеду, а ты вернешься домой.

— Еще чего! — возмущенно фыркнул Чистяков. — Между прочим, про Руновск — это моя идея, и я ни за что тебе ее не подарю. Поедем вместе. Считай, что у нас с тобой свадебное путешествие. И потом: куда ты без меня? Как ты без меня? Ты же совершенно беспомощна, ты даже адрес по карте найти не в состоянии. И без моего пригляда любой предприимчивый пацан раскрутит тебя на бешеные бабки.

— Ты мне мальчика с обезьянкой теперь до самой смерти будешь поминать? — обиженно спросила она.

— А как же! Если не держать тебя в тонусе, ты так и будешь раздавать деньги направо и налево, — пошутил Леша. — Кстати, в рамках разработки моей гениальной идеи я готов вместе с тобой встречаться с остальными персонажами из твоего длинного списка. Хочешь?

— Хочу, — обрадовалась Настя. — Я так увлекаюсь процессом получения ответов на свои вопросы, что забываю следить за реакциями. А это очень важно. Это даже важнее, чем сами ответы на вопросы. Я буду разговаривать, а ты наблюдай внимательно и запоминай все детали.

Когда поздним вечером они вернулись в гостиницу, список сократился до восьми человек. Четыре состоявшиеся в этот день встречи не принесли ни новой информации, ни новых версий, ни хотя бы каких-нибудь подозреваемых. Никто из тех, с кем встречались Настя и Алексей, не подходил ни под описание, данное сиделкой, ни под теоретический портрет, нарисованный за обедом самой Настей.

— Леш, осталось всего восемь человек, — пробормотала она, укладываясь спать. — Наши шансы тают на глазах.

— Восемь из двадцати трех — это примерно тридцать пять процентов. Асенька, это очень приличный шанс на успех, — откликнулся Чистяков. — Спи, отдыхай, набирайся сил. Завтра продолжим.

Но следующий день снова не принес ничего нового. В первой половине дня они встретились еще с пятью человеками из списка. Осталось найти троих — и список, который так и не удалось расширить, будет исчерпан. В беседах со знакомыми Дмитрия Васильевича Евтеева не появлялись ни новые факты, ни новые имена, помимо тех, о которых упоминали хозяин гостиницы Бессонов, супруги Фридман и вдова хирурга Симоняна.

Настало время обеда, и Чистяков привел Настю в ресторан под названием «Афродита».

— Название с претензией, — недоверчиво заметила Настя, подходя к зданию и глядя на большую вывеску.

— Никаких претензий, это ресторан греческой кухни, — коротко пояснил Алексей.

Едва они переступили порог, к ним со всех ног кинулся администратор.

— Добро пожаловать, рады вас видеть, проходите, пожалуйста, вам накрыт самый удобный столик.

Чистяков как ни в чем не бывало проследовал за администратором в глубь красиво декорированного зала, не обращая ни малейшего внимания на Настин оторопелый вид. Столик действительно был накрыт и украшен огромным букетом цветов в керамической вазе. Леша пододвинул жене стул и уселся напротив.

— Леш, это что? — шепотом спросила она. — Почему с нами так носятся? Откуда весь этот пафос?

— А я вчера признакомился с хозяином, — беззаботно ответил Алексей. — И он сказал, что для него большая честь помочь нам с тобой отпраздновать годовщину нашей свадьбы.

— С чего бы это? — прищурилась Настя. — Чем ты его так обаял? И вообще, откуда ты его взял?

— А я, видишь ли, зашел вчера сюда выпить пива с каким-нибудь фирменным бутербродом и обратил внимание, что в декоре наличествуют одни прямые линии и ни одной закругленности. Спросил официанта, откуда такие дизайнерские выверты, а он сказал, что дизайн делал сам хозяин, который в прошлой, докапиталистической, жизни был инженером-проектировщиком. Я задал еще пару вопросов уже чисто математического плана, и официант сказал, что ответов он не знает и лучше позовет самого хозяина. Хозяин через какое-то время нарисовался, морда ящиком, бровки домиком, разговаривает сквозь зубы. Но я применил все свое умение, нажитое рядом с тобой, и расстались мы лучшими друзьями. Вот и вся хитрость.

— Это не хитрость, Лешка, — восхищенно сказала Настя, — это... Я даже не знаю, как это назвать. Ты — великий и гениальный притворщик и мистификатор.

— Это почему же? — вздернул брови Чистяков.

— А кто совсем недавно говорил мне, что устает от бесед с незнакомыми людьми?

Он рассмеялся и отломил изрядный кусок нарезанного крупными ломтями хлеба, лежащего в плетеной корзиночке.

— Асенька, от ходьбы люди тоже устают, но это не означает, что они перестают ходить. И от работы устают, но работа же бывает очень интересной. Мне интересны новые люди. Ты этого не знала?

Ей стало стыдно. Она действительно этого не знала. Или знала, но не обращала внимания и никогда об этом не задумывалась. Она непростительно мало внимания уделяла своему мужу.

Хозяин ресторана «Афродита», крупный смуглый черноволосый и черноусый грек, подошел к ним после того, как официант принял заказ. Настя на мгновение испугалась, что сейчас начнется назойливое внимание и настойчивое угощение блюдами и винами, которых ей совсем не хочется, но все ограничилось искренними поздравлениями, несколькими достаточно тонкими комплиментами и уложилось во вполне деликатные десять минут и «подарок от фирмы» — выполненную из черного и белого шоколада уменьшенную копию коринфской колонны.

Едва Настя приступила к запеченным на гриле баклажанам с острым соусом, как позвонил Стасов. Он навел справки о проживающем в Сочи докторе Гулевиче, том самом, который пытался открыть кабинет детоксикации и был высмеян, и выяснил, что в день убийства Дмитрия Васильевича Евтеева Гулевич был в Санкт-Петербурге на симпозиуме, более того, выступал с докладом. Настя даже не почувствовала разочарования — она все больше и больше уверялась в том, что в Южноморске ей не удастся ничего найти.

— Стасов, нам придется ехать в Руновск, — сообщила она своему шефу. — Здесь шансы практически нулевые, мне осталось найти последних трех человек, но крайне маловероятно, что кто-то из них знает что-нибудь стоящее. Лешка считает, что надо искать в Руновске.

— Лешка? — скептически осведомился Стасов. — А сама ты как считаешь?

— А я с ним полностью согласна, — уверенно ответила Настя. — Вечером напишу отчет и пришлю тебе, сам все увидишь.

— Ладно, поезжайте, — разрешил Стасов.

Они не спеша ели вкусные греческие закуски, пили вино и обсуждали дело доктора Евтеева. Настя с интересом поддерживала разговор и одновременно думала о том, что, к сожалению, никогда не ценила то, что имела. Лешка рядом с ней на протяжении уже тридцати пяти лет, и им до сих пор интересно вместе, им есть о чем поговорить, что обсудить, а сейчас у них общее дело и общие заботы. А ведь в огромном количестве семей после стольких прожитых лет люди вообще не разговаривают друг с другом, им просто не о чем говорить, кроме бытовых вопросов — что купить, что приготовить и что посмотреть по телевизору. Какая же она дура, что не ценила этого раньше! Просто принимала как нечто само собой разумеющееся и даже не понимала, какое это счастье, какой подарок судьбы.

Внезапно ее обуял совершенно иррациональный страх: а вдруг все это закончится? Встретит Лешка какую-нибудь молодую красавицу и бросит Настю, поднадоевшую ему за тридцать пять лет. И дело даже не в том, что Настя останется одна. Дело в том, что такого счастья, такого подарка судьбы ей уже не видать, ведь для того, чтобы выстроить такие же отношения, нужно время, нужны эти самые тридцать пять лет, которых у нее нет. И не потому, что она столько не проживет, а только лишь потому, что новый человек войдет в ее жизнь, имея за плечами не меньше полувека собственной жизни, со своим собственным опытом и собственными потерями. А у Лешки собственной жизни было всего-то пятнадцать лет, вся последующая жизнь у них уже общая, и весь опыт, и все радости, и все потери они переживали вместе. Поэтому точно таких же отношений не получится просто по определению. У них с Лешкой даже воспоминания одни и те же, ведь они вместе с девятого класса, с того самого дня, как пришли в физико-математическую школу и сели за одну парту. Кстати, 1 сентября нынешнего года как раз и исполнится тридцать пять лет со дня их знакомства, после которого они уже не расставались.

— Леша, а скоро первое сентября, — вырвалось у нее непроизвольно.

Она отчего-то была уверена, что Лешка не поймет, о чем она говорит, и приготовилась смущенно объяснять собственную сентиментальность. Но он только улыбнулся в ответ.

— А я был уверен, что ты не сообразишь и не вспомнишь.

А что, у нее есть неплохие шансы прожить с Чистяковым еще тридцать пять лет, таких же счастливых. Через тридцать пять лет им будет всего по восемьдесят пять, и если еще полгода назад этот возраст казался ей недостижимым в принципе, то после работы в усадьбе города Томилина в клубе «Золотой век» она сильно изменила свои взгляды и поняла, что если правильно подходить к проблеме, то и восемьдесят пять — это не возраст. Вполне можно сохранить силы и здоровье, интерес и вкус к жизни, только готовиться к этому надо заранее и начинать уже сейчас, пока не стало поздно. Надо следить за собой, регулярно ходить к врачу, правильно питаться, заниматься физическими упражнениями и что там еще советуют умные и знающие люди... Эти советы всегда казались ей смешными, примитивными, самоочевидными и в такой же степени невыполнимыми, но теперь она призадумалась над ними. В принципе нет ничего невозможного в том, чтобы отпраздновать семьдесят лет совместной жизни, будучи в твердом уме и относительном здравии.

И от этой мысли ей сразу стало тепло и спокойно.

* * *

Линда Хасановна с тревогой смотрела на Петра, который по телефону отчитывался перед их шефом. Судя по выражению его лица, шеф был очень недоволен и говорил ее ненаглядному Петруше что-то очень резкое и обидное.

— Ну что? — нетерпеливо спросила она, когда Петр закончил разговор.

— Опять выволочку получил, — равнодушно отозвался тот. — Их светлость до крайности разгневаны тем, что мы с тобой до сих пор не узнали, о чем именно наши московские гости разговаривали с теми, с кем встречались.

— Но ты же ему объяснял!

— Объяснял. А толку-то? Платить лишние деньги никто не хочет, все почему-то думают, что можно действовать старыми дедовскими методами. Знакомиться, втираться в доверие и все вызнавать. А сейчас эти фокусы ни с кем не проходят. Темп жизни не тот. Пока мы будем знакомиться и втираться к каждому, с кем москвичи контактируют, мы их вообще из виду потеряем и все упустим. Вот у них сегодня уже пять встреч было, и что нам делать? Вцепиться в первого фигуранта и упустить остальных четверых?

— Черт знает что! — с досадой вздохнула Линда. — И откуда у этих светлостей такое представление о нашей работе? С чего они решили, что два человека могут собрать такую информацию, какую им надо? Это работа на целый отдел, к тому же технически оснащенный, а у нас с тобой, кроме мобильников и фотоаппаратов, ничего нет.

— Еще есть машина, — невозмутимо поправил ее Петр. — Но ты права, представления у них какие-то идиллические. Наверное, сериалов про сыщиков насмотрелись и думают, что и в жизни все так, как в телевизоре показывают. Линда Хасановна, можно отойти в туалет?

— Давай, — кивнула она, — только побыстрее, не задерживайся, а то вдруг они выйдут.

В ресторан не заходи, они могут тебя заметить, иди лучше вон в то кафе.

— Там с улицы не пускают, я как-то пробовал, они потребуют, чтобы я что-нибудь заказал, — проявил Петр знание южноморских муниципальных реалий. — У нас не город, а засада какая-то: туалет наищешься.

— Ну, возьми стакан минералки и быстро выпей. Иди уже, Петенька, не тяни, они давно сидят в «Афродите» и в любую минуту могут выйти.

Линда торопила своего друга не напрасно, она словно чуяла, что время поджимает. Каменская и ее муж (о том, что они супруги, Линда узнала у администратора гостиницы «Райский уголок») появились на крыльце ресторана ровно в ту секунду, когда Петр вышел из дверей расположенного на противоположной стороне улицы кафе. Сделав Линде знак, означающий «я их вижу», Петр не спеша двинулся следом. Через пару минут Линда догнала его.

— Нет, все-таки он очень интересный мужчина, — проговорила она, внимательно разглядывая спину Чистякова. — Выглядит он на свои годы, но старится красиво. Вот ты замечал, Петруша, что люди стареют по-разному?

— Да что ты выдумываешь! — отмахнулся Петр. — Все стареют одинаково. Всех одолевают немощь и болезни, другой старости не бывает. И характер у всех портится.

— Не скажи, — горячо возразила Линда. — Некоторые в старости становятся просто отвратительными, а некоторые, наоборот, делаются даже интереснее, чем были в молодости. Вот ты, Петенька, будешь стареть некрасиво.

— Это еще почему? — возмущенно спросил Петр.

— А ты недобрый, тебе никого не жалко: ни котенка бездомного, ни ребенка потерявшегося. А этот Чистяков явно добрый, потому и выглядит так хорошо. Ты, например, знаешь, сколько ему лет?

Петр задумался и, прищурившись, уставился в затылок Чистякову.

— Ну, лет сорок пять, наверное, может, меньше. Меня его седина с толку сбивает.

— А вот и нет! — торжествующим шепотом сообщила Линда. — Ему пятьдесят уже исполнилось.

Ей самой еще не было сорока, и пятьдесят лет казались Линде Хасановне первым порогом подкрадывающейся старости.

— Ты только посмотри, как он выглядит, — возбужденно продолжала она. — Какая осанка, какая походка! А улыбка! От одной его улыбки можно умом тронуться. И тетка эта престарелая, которая с ним, его недостойна. Не понимаю, как он мог на ней жениться? Зачем?

— Чем она тебя не устраивает?

— Ей никого не жалко, она бессердечная, — уверенно повторила Линда то, что уже говорила раньше. — И глаза у нее такие, что сразу видно: она только о работе думает.

— А о чем, по-твоему, надо думать? — с усмешкой спросил Петр. — О любви, что ли?

— А как же! Только о ней и имеет смысл думать, только любовь имеет значение, это же самое главное в жизни! Если любви нет, то, считай, ничего у человека нет, гол как сокол. Смотри, они сворачивают на Белинского. Как ты думаешь, куда они направляются?

— Точно не в гостиницу, на Короленко с этой стороны никак не выйти. Значит, на очередную встречу. И когда только им надоест шататься по адресам? Хоть бы съездили куда-нибудь развлечься, что ли! Мы бы с тобой тоже на машине прокатились бы, а то все ногами да ногами, скоро ботинки порвутся, — проворчал Петр. — У меня уже мозоли.

— Мозоли? — встрепенулась Линда. — Петруша, вон там аптека, я сейчас побегу вперед и куплю тебе пластырь, они идут медленно, я успею вас догнать.

Она рванулась вперед, и Петру с трудом удалось удержать ее:

— Куда ты? Не надо в аптеку, идем спокойно.

— Ну как же не надо! — запротестовала она. — Тебе же больно, Петруша. Если мозоль вовремя не заклеить, будет еще хуже. Нет-нет, я побегу.

Она вырвала руку и помчалась вперед. Несмотря на солидный лишний вес, бегала Линда Хасановна хоть и грузно, но быстро. Через несколько минут она догнала ушедших далеко вперед Каменскую с Чистяковым и шествующего метрах в двадцати от них Петра.

— Купила! — радостно сообщила она. — Будет минутка — снимешь обувь и заклеишь ножки. А вечером я тебе специальную мазь наложу, очень хорошую, она обязательно поможет, утром ножки будут как новенькие.

— Ты со мной разговариваешь, как с ребенком, — недовольно пробурчал Петр, пряча в карман упаковку пластыря.

— А как же мне с тобой прикажешь разговаривать? — удивленно откликнулась Линда. — Ты сам ничего не можешь для себя сделать. У тебя ноги стерты, а ты не догадаешься пластырь приклеить, ждешь, пока я все куплю и все устрою. Ты — моя любимая деточка, — нежно добавила она, целуя его в висок.

Линда Хасановна ростом была почти на голову выше своего любовника, поэтому для поцелуя ей пришлось слегка нагнуться. Однако разница ни в росте, ни в весе их никогда не смущала.

* * *

Поездку за город в мастерскую Бориса Кротова супруги Сорокины откладывать не стали и отправились туда через день после получения приглашения. Вилен Викторович, правда, сомневался, удобно ли являться к художнику так скоро и не выглядит ли это навязчивостью и бесцеремонностью, однако Ангелина Михайловна заняла твердую позицию и заявила, что если Виля не хочет лишний раз выслушивать от Крамарева слова недовольства отсутствием результатов, то надо пренебречь этикетом и заниматься делом. Суть же состояла в том, что ехать Вилену Викторовичу отчаянно не хотелось: далеко. И смотреть там нечего, чай, не Рембрандт.

— Как мы будем туда добираться? — ворчливо спросил он. — Это же нам придется на электричке трястись, а сегодня пятница, все выезжают на дачи и в поездах страшная давка и духота. Зачем тебе надо было обязательно договариваться с ним на сегодня? Договорилась бы на понедельник.

— Мы возьмем такси и отлично доедем. Виля, не выдумывай сложности там, где их нет.

— А обратно как поедем? Где мы в этой глухомани поймаем машину до Москвы? И вообще, я на частниках не езжу, ты прекрасно знаешь, среди них много бандитов и тех, кто не умеет ездить. Нас или ограбят, или угробят в аварии.

— Обратно, Виленька, мы поедем на электричке. Все будут ехать из города в область, а мы — в противоположном направлении, — миролюбиво улыбнулась Ангелина. — Не придуривайся и иди завтракать, а я вызову такси.

Против ожиданий поселок, где жил приемный сын Гусаровых, оказался вполне цивилизованным и не очень далеко от Кольцевой дороги, во всяком случае, глухоманью его никак нельзя было назвать. Дом нашли легко — Александр очень хорошо объяснил дорогу.

Дверь им открыла полноватая, кровь с молоком, женщина с неприветливым, но красивым лицом.

— Проходите в гостиную, — сказала она строго. — Хозяин предупредил, что вы приедете. Вам придется немного подождать, он работает.

Сорокины робко прошли в небольшую комнату с квадратным низким столом и мягкими креслами. Посреди стола красовалась ваза с фруктами, рядом стояли маленькие тарелочки с изящным орнаментом и лежали приборы.

— Кушайте фрукты, — по-прежнему строго велела домработница. — Вам чаю подать или кофе?

— Спасибо, ничего не нужно, — начал было Вилен Викторович, но Ангелина Михайловна перебила его:

— Если можно, хозяюшка, мы бы выпили чаю. Но мы не хотим вас затруднять. Вы позволите, я пройду с вами на кухню и помогу вам? Как вас величать?

Лицо женщины смягчилось, на нем появилась широкая добродушная улыбка.

— Оксана. Да какое там затруднение, это же моя работа, я за это зарплату получаю.

— Оксана, — мечтательно протянула Ангелина Михайловна. — Какое красивое имя!

Она подошла вплотную к домработнице Кротова и понизила голос почти до шепота.

— Знаете, Оксана, я просто помешана на кулинарии и собираю разные рецепты. Если можете, покажите мне, что и как вы готовите, а я запишу. Я понимаю, что для любой хозяйки ее кухня — это святое, но я очень вас прошу: поделитесь со мной своими секретами. Я хорошо знаю родителей Бориса, и они мне много раз говорили, что с тех пор, как вы у него работаете, он стал намного лучше выглядеть и совсем перестал жаловаться на боли в желудке. Вы же видите, мой муж далеко не молод, и для меня главное — это сохранить его здоровье. Дайте мне свои рецепты, я вас умоляю.

Ангелина лгала на голубом глазу, ничего подобного Гусаровы ей никогда не говорили, они вообще не упоминали о том, что у их сына Александра есть помощница по хозяйству. И разумеется, ни о каких болях в желудке речи отродясь не велось. Но ей обязательно нужно было задружиться с этой Оксаной, ведь домработницы порой знают о своих хозяевах массу всего интересного.

Через минуту она уже стояла перед открытым холодильником на кухне в доме Бориса Кротова и мелким четким почерком переписывала на вырванный из тетради листок названия и рецептуру блюд, которые ей демонстрировала Оксана: творожный торт, рыбу по-гречески, холодный суп гаспаччо и всевозможные закуски.

— Какая вы мастерица, Оксаночка, — вздыхала восхищенно Ангелина Михайловна. — Сколько блюд, и такое разнообразие! Как у вас времени-то на это хватает? Ведь еще и убираться нужно, а дом-то немаленький. Или убираться приходит кто-то другой?

— Да кто ж другой? Я и убираю, больше некому, — удивленно ответила Оксана. — Хозяин не любит посторонних в доме, он вторую домработницу ни за что не возьмет.

— Трудно вам, наверное, ведь работы так много... — сочувственно проговорила Ангелина. — А еще, наверное, приходится терпеть характер Бориса. Характер-то у него не сахар, это я своими глазами видела. Наверное, сильно ругается, если вы что-то не так сделаете, да?

— Ну, — Оксана смущенно потупилась, — не то чтобы ругается, просто выскажет спокойным голосом и замолчит, но это еще хуже. Лучше бы ругался и кричал, но не молчал, как камень.

— Интересно, а чем он бывает недоволен? — невинным голосом поинтересовалась Сороки-на, подбираясь исподволь к самому главному для нее вопросу. — Вы ведь наверняка не вору-ете продукты и деньги. И готовите вкусно, я по запаху определила, хоть и не пробовала. Может, сорочки плохо гладите? Или убираетесь неакку-ратно? А то, знаете, такие хозяева бывают, ко-торые запрещают своим горничным что-нибудь трогать или какие-нибудь двери открывать, а потом ругаются, что там пыль или неприбрано. А как же пыль стирать и прибираться, если тро-гать не велено?

Ангелина закончила свою тираду и замерла в ожидании реакции. Вот сейчас Оксана с го-товностью покивает и расскажет, что Борис за-прещает ей трогать, например, шкатулку в своей спальне, или открывать ящики его письменно-го стола, или передвигать какой-нибудь предмет в мастерской. И сразу станет понятно, что то, что так нужно Максиму Крамареву, находится именно там. А уж как это раздобыть — над этим пусть сам Максим голову ломает.

Однако ее ждало разочарование. Оксана тему не подхватила.

— Да нет, что вы, мой хозяин не такой. Он мне ничего не запрещает, я могу трогать и пе-

112

редвигать все, что нужно. А вот смотрите, у меня со вчера остался абрикосовый кекс, хотите попробовать? Если понравится, я дам рецепт. Хозяин запрещает гостям вчерашнее подавать, так что чай вы будете пить с ватрушками, я их сегодня пекла, а кексик мой так и не попробуете.

Ангелине Михайловне пришлось попробовать кекс, который показался ей слишком приторным, но она притворно хвалила и послушно записывала, чего и сколько нужно положить, чтобы тесто получилось воздушным и готовое изделие имело красивый желтовато-розовый цвет.

Потом они с Виленом Викторовичем пили чай с ватрушками и ждали, когда Борис закончит работать и выйдет из мастерской.

Наконец он появился и радушно поприветствовал гостей:

— Извините, что заставил ждать, я думал, вы попозже приедете, после обеда.

Сорокины дружно принялись уверять его, что все в порядке, ждут они совсем недолго и вообще они же понимают, что художник — человек творческий, а творческий процесс невозможно планировать заранее и нельзя прерывать. Тем более некоторые работы, висящие на стенах гостиной, они уже увидели, так что время в любом случае прошло не впустую.

— Ну, в таком случае пойдемте в мастерскую, я покажу вам еще кое-что, — пригласил Борис.

Мастерская показалась Сорокиным поистине огромной, и работ в ней было великое множество.

— Я вам не нужен? — вежливо осведомился художник. — Вы смотрите, а я пойду выпью кофе.

— Идите, Сашенька, конечно, идите, — отозвалась Ангелина Михайловна. — Или в этом доме вас нужно называть Борисом?

— Да мне как-то по барабану, — пожал он плечами. — Как вам удобнее, так и называйте.

Оставшись вдвоем в мастерской, Сорокины стали рассматривать многочисленные портреты.

— Смотри-ка — Лев Сергеевич, — Вилен Викторович указал на небольшое полотно в простом багете. — Удивительно похож.

— А вот здесь Люся, — Ангелина Михайловна поманила мужа пальцем. — Иди посмотри, по-моему, совершенно не похожа. Или я ошибаюсь и это вообще не Люся?

Сорокин бросил взгляд на портрет и одобрительно кивнул:

— Разумеется, это Людмила Леонидовна. По-моему, никаких сомнений быть не может.

— Но ведь не похожа!

— Ну что ты, Геля, здесь абсолютно точно передана ее сущность, ее характер. Ты всмотрись как следует.

— Не знаю, не знаю, — Ангелина обиженно поджала губы. — Тебе, конечно, виднее, ты ведь с Люсенькой больше времени проводишь, чем я, и, наверное, изучил ее вдоль и поперек.

Ей не удалось скрыть свою ревность, и это вызвало у Вилена Викторовича раздражение. Никогда, ни разу за все прожитые вместе годы он не изменил своей супруге и реальных поводов для подозрений не давал. Мысль о возможной сексуальной нечистоплотности всегда вызывала в нем омерзение, и ему крайне не нравилось, что кому-то приходит в голову ставить это отвратительное явление на одну доску с ним, с Виленом Сорокиным.

Ангелина Михайловна, разумеется, заметила настроение мужа и постаралась сгладить ситуацию:

— И все-таки, Виля, ты не можешь не согласиться, что мальчик безумно талантлив, безумно.

— Не вижу ничего особенного, — буркнул Вилен Викторович. — Крепкий ремесленник, не более того.

— Но ты же сам сказал, что суть характера Люсеньки передана очень точно, — поддела его Ангелина. — Это твои слова.

— Я от них и не отказываюсь. Ну хорошо, я соглашусь с тобой, этот Александр действительно хорошо видит характер модели и передает на полотне, но это говорит лишь о том, что он способный психолог. Может, ему надо было становиться психологом или психоаналитиком, он бы куда больше преуспел. А он занимается тем, что якшается с бандитами. Истинное творчество и криминал несовместимы.

— Тише, — осекла его супруга, — вдруг он услышит? Мы же с тобой про бандитов ничего знать не можем, нам об этом только Максим говорил. И вообще, хватит нам тут торчать, пойдем к нему, попробуем поговорить.

Они вышли из мастерской и нашли Бориса в гостиной. Тот пил кофе и просматривал газеты.

— Спасибо, Сашенька, мы получили огромное удовольствие, — заворковала Ангелина Михайловна. — Вы пишете дивные портреты. Особенно нам понравилась Люсенька, весь ее характер как на ладони виден. И Лев Сергеевич очень удачно получился, просто как живой. Скажите, Саша, сколько вам было лет, когда умерла ваша мама?

Она чуть было не сказала: «когда убили вашу маму», но вовремя опомнилась.

Борис бросил на нее недовольный взгляд и сразу отвел глаза.

— Мало, — коротко ответил он и перелистнул газетную страницу, всем своим видом давая понять, что тему развивать не намерен. Но Ангелину Сорокину сбить с толку было не так-то просто.

— Я спрашиваю не из праздного любопытства, Саша. Вы хорошо помните, какая она была? Лицо ее помните?

— Помню.

— Вы пишете ее портреты? Они есть в мастерской?

— Нет.

— Почему, Сашенька? Неужели вам не хочется, чтобы о вашей маме осталась такая память? Вас уже не будет, а портрет будет висеть в какой-нибудь галерее или в частной коллекции, и все будут знать, что это портрет вашей матери...

— Мне достаточно маминых фотографий, — сухо оборвал ее художник.

— У вас остались фотографии? — оживилась Ангелина. — Не покажете? Очень хочется взглянуть на вашу маму.

Борис поднял на нее холодный взгляд, и Ангелине моментально стало зябко, она даже плечами передернула.

— Зачем? — спросил он. — Для чего вам фотографии мамы?

Ангелина умоляюще посмотрела на мужа, но Вилен Викторович с отстраненным видом рассматривал висящий на стене портрет мальчика лет двенадцати с коричнево-красным петухом в руках. Лицо подростка было сердитым, а петух, казалось, вот-вот вывернется и тюкнет мальчишку клювом в плечо. При взгляде на эту картину невольно хотелось улыбнуться.

— Вы не понимаете, Саша, потому что вы еще очень молоды, — с упреком произнесла она. — Когда вы доживете до наших лет, то поймете наш интерес и наше внимание к тем, кто ушел молодым. Ведь ваша мама, наверное, была совсем молодой, когда умерла? Прошло много лет, и вот от нее остались только фотографии...

Ангелина замолчала, она не знала, что еще сказать, и сердилась на Вилена за то, что он совсем ей не помогает, отвернулся и молчит, как будто его все это не касается. А ведь дело-то общее.

— Ангелина Михайловна права, — внезапно подал голос Вилен Викторович, по-прежнему не оборачиваясь и не отрывая глаз от мальчика с петухом. — В нашем возрасте начинаешь придавать особое значение следам, которые оставляет после себя человек. Вот он уходит, но остаются не только фотографии, остаются книги, которые он читал, одежда, которую он носил, кресло, в котором он сидел. Остается множество вещей, к которым он прикасался, которые держал в руках и которые несут на себе отпечаток его жизни, его биополя. Это очень важно и очень волнующе. Со временем вы поймете.

— Возможно, — Борис пожал плечами. — Если вам так интересно, я принесу мамины фотографии. Они у меня наверху, в спальне.

Он поднялся и направился в сторону лестницы, ведущей на второй этаж.

— Что ты молчишь, как колода? — зашипела на мужа Ангелина Михайловна. — Спасибо, что хоть в последний момент нашел, что сказать. Я тут кручусь, как уж на сковородке, выворачиваюсь, придумываю на ходу, импровизирую, а ты картинки разглядываешь и совсем мне не помогаешь. Мне что, одной все это нужно? Давай, включайся.

— Мне это не нравится, — высокомерно заявил Вилен Викторович. — Я не клоун в цирке, чтобы импровизировать на ходу и участвовать в дурацких спектаклях.

Перепалку пришлось прекратить — вернулся Борис, держа в руках две фотографии, одна из них была в застекленной рамке. Сорокины долго и внимательно рассматривали красивое лицо молодой женщины с ярким, даже вызывающим макияжем, в ярко-фиолетовом платье из тонкого трикотажа и с крупными пластмассовыми немыслимого розового цвета серьгами-кольцами в ушах. На втором снимке, том, что был без рамки, та же самая женщина была накрашена куда скромнее, но бижутерии на ней было, пожалуй, многовато.

— Забавно, — пробормотала Ангелина Михайловна, — я уже забыла, что была такая мода на пластмассовую бижутерию и фиолетовые тени для век. Это ведь было очень давно, да, Сашенька? Где-то середина восьмидесятых, если память меня не подводит.

— Не подводит, — скупо кивнул Борис. — Эта фотография сделана в восемьдесят пятом году.

— Такой покой исходит от снимка, — покачал головой Вилен Викторович, — ни за что не скажешь, что человека ждет смерть в молодом возрасте. А говорят, что люди предчувствуют свой конец и это особенно ярко проявляется именно в фотографиях. А что-нибудь еще осталось от вашей мамы? Какие-нибудь вещи, письма, мелочи?

— Больше ничего. Если ваше любопытство удовлетворено, то я, с вашего позволения, вернусь к работе, мой перерыв закончился.

Их так явно выставляли за дверь, что не заметить этого было просто невозможно. Сорокины поблагодарили художника за возможность ознакомиться с работами, за гостеприимство и за чай с ватрушками и отправились на железнодорожную платформу, до которой идти было минут двадцать.

— Не могу сказать, что этот Саша или Борис хорошо воспитан, — брюзжал по дороге Сорокин. — Бука какой-то, слова из него не вытянешь. И опять мы ничего не узнали.

— Ну почему же, — возразила Ангелина Михайловна, — мы с тобой узнали, что от его матери ничего не осталось, кроме фотографий. Значит, того, что нужно Максиму, у Бориса нет. Этого просто не существует.

Вилен Викторович остановился и с изумлением воззрился на супругу.

— Ты что, поверила ему? Вот он сказал, что, кроме фотографий, ничего нет, и ты считаешь это чистой правдой? Я не узнаю тебя, Геля. С каких это пор ты стала такой доверчивой?

— Я не доверчивая, просто я разбираюсь в людях и вижу, что Саша не врет.

— Видит она! А вот я, например, ничего такого не вижу и не поверил ни одному его слову. Он очень себе на уме, этот художник, которого непонятно как зовут, не то Саша, не то Борис. Закрытый, замкнутый, дурно воспитанный. Нет, Геля, ты как хочешь, а я ему не верю. И считаю, что съездили мы впустую.

— А вот и нет! Мы были у него дома, мы смотрели картины, нам показали фотографии матери, так что нам теперь будет что предметно обсуждать с Гусаровыми. Мы сумеем, Виля, я чувствую, да нет — я просто уверена, что у нас с тобой все получится, причем очень скоро. Мы долго топтались на месте, но теперь дело двинулось вперед, ведь еще три дня назад мы не могли с Гусаровыми поговорить о Саше — повода не было, а теперь этих поводов целый вагон, мы даже о Ларисе можем спросить.

— Только не забудь, что мы с тобой не знаем, как ее зовут, — строго напомнил жене Вилен Викторович. — Ни Гусаровы, ни Александр ни разу не упомянули ее имени. Господи, какая же это морока — все знать и постоянно делать вид, что ничего не знаешь, и ждать, пока тебе скажут, и постоянно напрягаться, чтобы не перепутать, что именно тебе рассказали, а что ты и так знаешь. От этого свихнуться можно!

На платформе они купили билеты и сели в электричку, которую пришлось ждать совсем недолго, всего минут десять. Вагон оказался относительно свободным, как и предрекала Ангелина Михайловна, и им легко удалось занять места у окна друг напротив друга.

* * *

Борис проводил гостей и сразу поднялся в спальню. Фотографию в рамке повесил на стену, второй снимок поставил на книжную полку за стекло. Тяжело опустился на кровать и вытащил из кармана джинсов сложенный вдвое конверт. С сегодняшней почтой он получил еще одно письмо, уже третье. Конверт был вскрыт — Борис прочел письмо, пока гости были в мастерской, но теперь он перечитал послание еще раз. На этот раз неведомый ему автор послания указывал вполне конкретную сумму, которую Борису следует заплатить, если он хочет узнать подробности об убийстве своей матери. Хан оказался прав. Теперь Борис Кротов готов был выложить любые деньги, только бы узнать, что кроется за этими письмами.

Он перевел взгляд на лицо матери, улыбающееся с фотографии, и снова перед глазами встали страшные видения: мама мечется по комнате, пытаясь спрятаться от пьяного Стеценко... мама ползет по полу в сторону двери, и кругом кровь, много крови... мама лежит в прихожей, с головой накрытая простыней, а вокруг стоят чужие люди, что-то делают и записывают...

Борис тряхнул головой, отгоняя воспоминания, и вытянул из нагрудного кармана мобильник. Надо позвонить Хану.

— Я получил третье письмо, — сообщил он Алекперову.

— И что в нем? Опять голые намеки или уже появились деньги?

— Появились.

— Велика ли сумма? — поинтересовался Хан.

— Велика. Но мне вполне по силам. Ты считаешь, что нужно соглашаться?

— Ну, о твоем согласии пока речь не идет. Вот подожди, придет следующее письмо, в котором уже будут конкретные указания, что тебе нужно сделать, если ты согласен платить. Тогда и будем думать.

— Все-то ты знаешь, — вздохнул Борис, не скрывая скепсиса.

— Друг мой, это классика жанра, — рассмеялся Алекперов. — У меня для тебя тоже есть кое-какие новости. Я встречался со следователем, который в свое время вел то самое уголовное дело, из которого выпал Стеценко. Правда, с головой у старика не очень, так что я не уверен, можно ли верить тому, что он рассказал, но в любом случае это любопытно. Ты сейчас где?

— Дома.

— В Москву не собираешься?

— Хан, я не в том положении, чтобы собираться или не собираться. Ты скажи, когда надо, и я приеду.

— Заметано. Определюсь со своим графиком на ближайшее время и позвоню, лады?

— Буду ждать.

К работе Борис в этот день вернуться так и не смог. В ушах все время стояли голоса сегодняшних гостей, рассуждавших о следах умерших и о предвидении близкой смерти. Он то и дело поднимался в спальню, смотрел на фотографии матери, крутил их в руках. Но ничего не видел. И ничего не чувствовал.

* * *

Ардаев шел по поселку вслед за Сорокиными и злился. Он приехал сюда на машине следом за ними из Москвы, а теперь получалось, что обратно они собираются ехать на электричке. Что же ему, бросать здесь свой дорогой автомобиль только ради того, чтобы попытаться подслушать, о чем они будут разговаривать в поезде? А старичок-то Сорокин, похоже, глуховат, его супружница разговаривает с ним громко, и Ардаеву, идущему в нескольких шагах позади них, превосходно слышно каждое слово. Или у нее вообще такая манера общаться? Конечно, в электричке она вряд ли станет так кричать, но это ничего, в вагоне всегда есть возможность подобраться вплотную.

Ардаеву надоела неопределенность, и он решил своими глазами посмотреть на супругов Сорокиных. Почему они так долго возятся с таким ерундовым заданием? Может, они тупые? Или ведут двойную игру? Сколько можно тянуть кота за хвост?

Он наблюдал за Сорокиными второй день, вчера они ходили на какую-то мутную выставку и корчили из себя великих знатоков искусства, а вот сегодня с утра поехали на такси за город. Да не куда-нибудь, а прямехонько к Борису Кротову. Ну ладно, хотя бы делом занялись.

Ардаев внимательно слушал их разговор по дороге от дома Бориса к платформе и размышлял, как правильнее поступить. Если на платформе будет много народу, то есть хороший шанс притереться поближе и остаться незамеченным. Правда, опасно оставлять машину... Черт, что же делать?

Но народу на платформе было мало, каждый человек на виду, и вопрос решился сам собой. Ардаев посмотрел расписание: ближайший поезд на Москву пойдет через двенадцать минут. Он огляделся и увидел несколько припаркованных машин: бомбилы ждали пассажиров с московской электрички.

Через несколько секунд Ардаев уже сидел рядом с водителем, а через восемнадцать минут поднимался по ступенькам следующей платформы в сторону Москвы. Поезд, на котором ехали супруги Сорокины, как раз показался вдалеке. Он успел. Судя по тому, в каком месте платформы они стояли, ехать Сорокины должны в четвертом вагоне. Так и оказалось. Ангелина Михайловна и Вилен Викторович увлеченно беседовали и не обратили ни малейшего внимания на неброско одетого немолодого мужчину, вошедшего на очередной остановке и занявшего место прямо за спиной Ангелины.

Ардаев проехал еще две остановки, вышел из вагона, перешел на противоположную платформу и поехал в обратном направлении, в поселок, где жил Борис Кротов и где осталась машина. Нет, толку от этих Сорокиных не будет. Тихие интеллигентные людишки, не способные ни на риск, ни на оригинальный экспромт. Надо брать инициативу в свои руки, в противном случае дело никогда с места не сдвинется.

Глава 11

Прошло три дня, Валентина исправно ходила к месту встречи с Гашиным, но Славомир Ильич больше ни разу не появился в лесу ни на тропинке, ни у поваленного дерева. «Он обиделся на меня, — решила Валентина, — потому и не приходит. Но он же не может сидеть целыми днями взаперти, куда-то ведь он ходит гулять, надо только узнать куда».

Была суббота, у Нины Сергеевны выходной, Валентина с самого утра помогла хозяйке с уборкой, купила продукты на двоих, и пока Нина Сергеевна варила для себя рыбу и картофель, натушила целую сковороду овощей. После обеда Валентина в очередной раз прогулялась в лес, убедилась, что Гашин снова не пришел, и решила задать прямой вопрос садовнице Крамаревых. Нину она нашла в импровизированной лаборатории — та колдовала над какими-то удобрениями.

— А что Славомир Ильич? Не заболел случайно? А то раньше я его каждый день встречала на прогулке, а теперь вашего ученого что-то не видно. Или заработался? — спросила Валентина как можно равнодушнее.

Нина Сергеевна оторвалась от пробирок, сняла очки и насмешливо взглянула на нее.

— Валечка, деточка, только не надо делать вид, что тебе все равно. Ваш роман со Славомиром у тебя на лбу огромными буквами написан. Ты разве не в курсе, что он больше не живет у Крамаревых?

— Как это — не живет? — задохнулась Валентина. — А где он живет?

Нина Сергеевна пожала плечами:

— Вот уж чего не знаю — того не знаю. Я была уверена, что тебе все известно. Что же твой возлюбленный, уехал и тебе ничего не сказал?

Валентина подавленно молчала.

— Выходит, не сказал, — подвела итог Нина Сергеевна. — Я так думаю, он свою работу закончил, все документы Максиму Витальевичу передал и отбыл. Неужели он тебе даже не позвонил? Не попрощался?

— Нет, — выговорила Валентина, с трудом шевеля губами.

— Ну так позвони ему сама.

— Я не знаю номера, он мне не давал свой телефон и мой не спрашивал. Зачем? Мы с ним и так каждый день виделись, гуляли вместе...

И Валентина расплакалась. Ну как же так? Почему? Почему отношения, начинавшиеся так красиво, так романтично, закончились так нелепо, так вдруг? Гашин рассердился на нее за обман, обиделся, но ведь любая обида со временем проходит, и главное — он здесь, рядом, всего лишь на другой стороне шоссе, и Валентина была уверена, что рано или поздно они обязательно встретятся, и она попросит прощения, еще раз все объяснит, и он непременно простит ее, и все вернется, и они будут вместе... А оказалось, что он уехал, и совершенно непонятно, где теперь его искать. А искать надо обязательно, ведь они с Валентиной действительно родственные души, и просто преступно потерять друг друга из-за дурацкого недоразумения, ведь в ее лжи не было никакого злого умысла, никакой корысти.

Нина Сергеевна молча смотрела, как Валентина рыдает, и не делала ни малейшей попытки успокоить и утешить ее.

— Иди к себе и поплачь как следует, — наконец сказала она. — Потом поговорим, если захочешь.

Валентина выбежала из комнаты, зашла к себе и рухнула на кровать. Ей казалось, что подушка все еще пахнет волосами Славомира, а простыни хранят тепло его гладкого смуглого тела. Ну почему, почему все так? Почему ее личная жизнь никак не может сложиться спокойно и счастливо? Почему она все время чувствует себя неудалой и никому не нужной? Десять лет романа с женатым директором НИИ, в течение которых она каждый день ждала, что он все-таки решится и уйдет от жены. Она сделала два аборта, рожать вне брака не стала, хотела, чтобы все было как у людей, чтобы была свадьба, белое платье, цветы и почтенная роль беременной замужней женщины. Ничего этого не случилось. Не до такой степени она нужна была своему директору, чтобы он разрушил налаженную, удобную, устоявшуюся жизнь.

Когда заболел отец, Валентина все внимание переключила на него, даже отношениями с директором пожертвовала. Она в тот период и от подруг отдалилась, перестала ходить к ним в гости и приглашать к себе, перестала пить с ними кофе в кондитерских и гулять по набережной, потому что каждую свободную минуту посвящала Дмитрию Васильевичу. Как ни тяжело ей было видеть постепенное угасание отца, два года его болезни стали для Валентины самыми наполненными и даже счастливыми, как бы ужасно это ни звучало: она чувствовала себя нужной и любимой. Когда отца не стало, ей снова пришлось вернуться к роли никому не нужной и одинокой женщины. Ни любовника, ни подруг. Одна работа и пустой дом. Брат Женя давно жил своей жизнью, полной каких-то непонятных Валентине забот и проблем. Он, конечно, очень любил сестру, он готов был помогать ей материально, но на душевную близость у него не хватало ни времени, ни сил.

И вот в ее жизни появился Славомир, ни на кого не похожий, так много знающий, так тонко чувствующий, с такими нетривиальными суждениями. И такой красивый! Валентина готова была погрузиться в этот роман и полностью отдаться отношениям с Гашиным, она могла бы, не задумываясь и не оглядываясь, ринуться вслед за ним хоть на край света, и даже дело, ради которого она приехала в Москву, перестало ее занимать, во всяком случае, за последние шесть дней она ни разу не позвонила Стасову и не поинтересовалась, как движется заказанное ею расследование. Славомир принес в ее жизнь новый смысл и новые надежды, и она в мечтах уже видела себя рядом с ним на долгие годы вперед и даже прикидывала, не смея задать ни одного вопроса, какого возраста у него могут быть дети, если они вообще есть, и захочет ли он их общего ребенка. Ведь Валентине уже тридцать пять, пора рожать, сроки поджимают. Произошедшая три дня назад ссора казалась ей обычным недоразумением, которые постоянно случаются между влюбленными, которые так легко преодолеть и после которых так сладостно мириться. И вдруг оказалось, что это окончательно. Что это навсегда.

Весь вечер субботы, ночь и первую половину воскресенья Валентина пролежала в постели, то и дело принимаясь плакать. Нина Сергеевна ее не тревожила, занималась своими делами, до Валентины доносились звяканье посуды и звуки работающего телевизора, которые ужасно раздражали: как можно готовить, есть, мыть посуду и смотреть передачи, когда случилось такое страшное, такое непоправимое несчастье!

К трем часам дня воскресенья Валентина поняла, что проголодалась. Она вылезла из постели, умылась, с отвращением глядя в зеркало на свое опухшее от слез лицо, оделась и спустилась вниз. Нина Сергеевна, обложившись толстыми справочниками, что-то писала за большим столом.

— Извините меня, — сказала Валентина, — я что-то расклеилась. Я вам не помешаю, если приготовлю что-нибудь?

Нина Сергеевна махнула рукой, не поднимая головы.

— Ради бога, деточка. Готовь, кушай, пей чай. Ты хоть немножко успокоилась?

— Да.

Валентина помнила, что накануне хозяйка выразила готовность поговорить о ситуации с Гашиным, и понимала, что своим вопросом Нина Сергеевна сейчас подтверждает эту готовность. Но разговаривать не хотелось. Валентина приняла решение, которое казалось ей в тот момент на удивление очевидным и единственно правильным.

Сейчас она поест, потом поднимется к себе и займется лицом, которое надо попытаться привести в относительный порядок при помощи хотя бы компрессов и масок. А завтра поедет к Стасову и попросит его разыскать Славомира Гашина. Денег у нее на этот заказ хватит, в крайнем случае она попросит брата Женю, тот поможет.

* * *

На следующий день, в понедельник, Валентина Евтеева явилась в офис детективного агентства «Власта». Стасов был занят с клиентом, и ей пришлось ждать почти час, пока он освободится.

Владислав Николаевич расценил ее приход как очередную попытку контроля над ходом расследования и начал сразу же подробно излагать, что сделала его сотрудница Каменская за время пребывания в Южноморске. Валентина слушала, с трудом скрывая нетерпение, и все ждала, кода же наступит удобный момент, чтобы изложить свою новую просьбу.

— С сожалением должен констатировать, что ничего проливающего свет на убийство вашего отца пока не выявлено, — закончил наконец Стасов. — Вы готовы нести дальнейшие расходы или мы можем сворачивать свою работу?

— А что вы намерены делать дальше?

— Каменская поедет в Руновск, попробует поискать концы в городе вашего детства. Единственная версия на сегодняшний день — это версия о том, что в Руновске произошло нечто такое, о чем вашему отцу были известны нелицеприятные подробности. За некоторое время до его смерти возникла реальная опасность, что он эти подробности может разгласить. Преступнику необходимо было избежать такого развития событий. Пока больше ничего в голову не приходит. В Южноморске жизнь вашего отца протекала так, что уцепиться попросту не за что.

— Хорошо, — кивнула Валентина, — продолжайте, я оплачу вашу работу. Владислав Николаевич, у меня к вам еще одно дело. Мне нужно разыскать одного человека. Возьметесь?

— Смотря какого, — улыбнулся Стасов. — Что за человек?

Валентина рассказала все, что знала о Гашине. Стасов смотрел на нее удивленно и недоверчиво.

— Я не очень понимаю, зачем вам платить деньги за то, что вы можете сделать сами, — сказал он.

— Но я ничего не могу! — воскликнула она. — Если бы я могла, я бы к вам не обращалась.

— Почему бы вам не поговорить с Крамаревым? Он-то наверняка точно знает, где искать вашего ученого. И телефон его знает, и адрес.

Валентина с досадой поморщилась. Ну какой же этот Стасов недогадливый! Ведь она, кажется, все так толково объяснила, а он все равно ничего не понял.

— Но я же вам сказала: Крамарев очень боится, что к Славомиру Ильичу подберутся конкуренты и перекупят его разработку. Гашин даже гулять ходит в сопровождении двух охранников. Неужели вы думаете, что Крамарев даст такую информацию совершенно постороннему человеку? А я для него и есть совершенно посторонняя. Как я смогу объяснить ему свой интерес к Гашину?

— А вы расскажите ему все то же, что рассказали мне, — посоветовал Владислав Николаевич. — По-моему, очень убедительно.

— Признаться, что у нас с Гашиным был роман? Ни за что!

— Ну, как знаете. Сейчас я позову сотрудника, которому поручу ваше дело. Познакомитесь с ним и все ему изложите.

Он нажал кнопку селектора, и через минуту в кабинет вошел симпатичный высокий темноглазый мужчина лет сорока с небольшим.

— Знакомьтесь, — сказал Стасов, — это Михаил Доценко, очень опытный сыщик. А это Валентина Дмитриевна, наша заказчица по делу об убийстве в Южноморске. Миша, пройди с Валентиной Дмитриевной в переговорную и собери первичную информацию.

— Так ведь по этому делу Каменская работает, — удивился Доценко. — Ты что, отряжаешь меня ей в помощь? Влад, я не могу ехать, ты же знаешь мои обстоятельства...

— У Валентины Дмитриевны еще один заказ, — пряча улыбку, пояснил Стасов. — Ехать никуда не придется. Валентина, вы помните, где у нас переговорная? Сами найдете?

— Найду, — кивнула она. — По коридору и налево, правильно?

— Совершенно верно. Подождите там, пожалуйста, через две минуты Михаил к вам подойдет. Когда вы с ним закончите, зайдите, пожалуйста, ко мне, я подготовлю новый договор.

Валентина послушно вышла и отправилась в комнату, в которой три недели назад встречалась с Каменской.

* * *

Едва за ней закрылась дверь, как Стасов набросился на Доценко:

— Мишка, паразитская твоя морда, сколько раз я тебе говорил, чтобы ты при клиентах не разорялся насчет своих семейных обстоятельств! Выслушал задание — и иди выполняй. Все остальное мы между собой потом обсудим. Ты про профессиональную этику вообще слышал когда-нибудь?

— Профессиональная этика — это про другое, — отпарировал Доценко. — Слушай, Влад, а чего ты все время улыбался при заказчице? Чего смешного-то?

— Да ничего смешного, просто в ее присутствии у меня настроение поднимается. Уж больно она красивая, глаз радуется смотреть.

— Красивая, — согласился Доценко. — А с мозгами у нее как? С ней можно иметь дело?

— С мозгами не очень, — признался Стасов. — Но ты уж потерпи. Ей человека одного нужно найти. Любовника, который не то ее бросил, не то вынужден был срочно уехать, а телефона ее не знал и сообщить об отъезде не смог. В общем, сам разберешься.

— Да что же это за любовник, если он ее телефона не знал? — изумился Доценко. — Это какой-то новый стиль отношений, что ли? Получается, я сильно отстал от жизни? Стасов, имей в виду, если этот любовник смотался в другой город и туда надо будет ехать, то я...

— Я все помню, — жестко оборвал его Владислав Николаевич. — Мне самому жизнь дорога. Если твоя жена будет чем-то недовольна, то моя жена меня поедом съест.

— Вот то-то же, — назидательно бросил Михаил и отправился беседовать с Валентиной Евтеевой.

Через два часа он расстался с заказчицей, пребывая в состоянии некоторого недоумения. Засекреченный химик! Ну надо же! Вот угораздило же Стасова принять такой заказ... Если он действительно в недалеком прошлом работал на оборонку, то официальным путем его фиг найдешь. Спрашивать у Максима Крамарева бессмысленно, он ничего не скажет, в этом заказчица, пожалуй, права. Конечно, если бы к Крамареву пришли настоящие оперативники и показали постановление о возбуждении настоящего уголовного дела, то Крамарев обязан был бы давать хоть какие-то показания, хотя и в этом случае ничто не помешало бы ему сказать, что он ничего не знает. А уж с частным детективом он имеет полное право вообще не разговаривать. Судя по секретности, которую Крамарев развел в своем доме вокруг фигуры этого Гашина, никто из его домашних тоже информацией не располагает. Правда, есть одна фигура, которая может оказаться перспективной: Евтеева сказала, что у Гашина сложились какие-то отношения с учительницей арабского языка, которая занимается с дочкой Крамарева. Зовут ее Ольга Константиновна, и она с Гашиным перезванивалась, значит, номер его телефона у нее есть, это как минимум. А как максимум — и адрес. Не исключено, кстати сказать, что Гашин у нее и живет. Что там говорила Евтеева? Что у этой Ольги депрессия, и Гашин оказывает ей моральную поддержку. Знаем мы эти депрессии и эти поддержки, из них потом получаются очень даже веселые свадьбы. Во всяком случае, начать, наверное, следует именно с этой Ольги Константиновны.

* * *

Ангелина Михайловна была не в настроении, но сумела взять себя в руки и постараться быть убедительной. В конце концов, так нужно для дела. Людмила Леонидовна Гусарова много занималась внуками, старалась вырастить их разносторонне развитыми, водила в музеи, театры и на выставки, и просто грех было бы не воспользоваться этим обстоятельством, раз уж никак иначе не получается.

— Тебе, Виля, все карты в руки, — говорила она мужу. — Давай, обхаживай Люсю, принимай участие во всех ее походах с внуками на культурные мероприятия.

— Может, все-таки ты попробуешь Льва разговорить? — просительно отвечал Вилен Викторович, которому перспектива посещения этих самых культурных мероприятий в обществе малолетних детей совершенно не улыбалась. Детей он не любил, они его раздражали. Он и без того то и дело составлял компанию соседке в ее походах с внуками, но его хотя бы никто не обязывал заводить с ней «особые отношения» и «специальные разговоры».

— Да что толку с ним разговаривать? Он, кроме своих солдафонских тем, ничего знать не хочет, никакой беседы поддержать не может! Я уже замучилась весь мировой театральный репертуар ему пересказывать. Ему, видите ли, нравится слушать спектакли в моем исполнении! Мне поначалу казалось, что если правильно выбрать тему, то можно из Льва хоть что-то вытащить, но уж сколько я ему всего пересказала — а пользы никакой. Правильно Славик подсказал, это же законы драматургии образа: у Гусарова никакого развития нет, он всегда в одном настроении, ни тпру ни ну. А Люся все-таки женщина, тема детей и внуков ей близка, она с удовольствием поддержит разговор.

— Но для таких разговоров совсем необязательно ходить куда-то с ней и ее внуками, — упрямо возражал Сорокин. — Можно обсудить все эти темы, когда мы у них в гостях. Ведь дня не проходит, чтобы мы с тобой их не навестили.

— Но, Виля, ты же сам видишь, что получается, когда мы общаемся вчетвером. Лев Сергеевич собой все пространство занимает, и нам с нашими темами туда никак не втиснуться. И потом, вчетвером-то мы бываем крайне редко, все больше втроем, потому что Люся то на работе, то с внуками. Короче, Виленька, не спорь, отделяйся и заводи отношения с Люсей.

— И потом ты будешь меня пилить и изводить безосновательными подозрениями? Ну уж нет!

— Нет уж да! — твердо произнесла Ангелина Михайловна. — Мне это, конечно, не очень нравится, но ничего не поделаешь, так надо. Хватит отсиживаться за моей спиной и молчать, тебе пора принять активное участие в нашем общем деле.

Вилен Викторович надулся и замолчал минут на пять, потом вздохнул:

— Вообще-то Славик, похоже, прав. Ему, конечно, виднее. Не могу сказать, что он как-то особенно умен, но в драматургии образов он действительно разбирается, у него, как принято говорить в нынешнее время, мозги под это заточены.

Вечер закончился вполне мирно, но у Ангелины Михайловны остался неприятный осадок. Уж очень легко, как ей показалось, согласился Вилен начать строить отдельные отношения с соседкой! Это правда, так нужно для дела, но Ангелина ждала, что сопротивление мужа будет долгим и упорным, и это было бы свидетельством того, что Людмила Леонидовна как женщина совсем его не интересует. Однако такого свидетельства Ангелина не получила, и ревность снова начала точить ее.

Вилен Викторович уже уснул, а его жена все сидела на кухне, смотрела в распахнутое окно и думала о том, что Виля легко загорается новыми идеями, потому что не выносит скуки, но быстро остывает. Эти идеи заводят бог знает куда, и расплачиваться за них приходится ей одной. Он без раздумий и колебаний повелся на идеи Максима Крамарева, сразу заинтересовался, загорелся, а теперь ему самому это стало в тягость, перестало быть интересным и важным, Ангелина же Михайловна вынуждена будет мучиться ревностью и терпеть ухаживания мужа за соседкой Людмилой. Ведь и с ребенком получилось в свое время точно так же...

Виля так хотел ребенка, причем непременно сына, наследника, он мечтал, как будет открывать мальчику прекрасный мир искусства, читать ему книги, водить в театры и на выставки, рассказывать все, что знает, а знает он очень много. Вилен бредил этой мечтой и очень страдал из-за того, что Геля все не беременела. А Геля никакого ребенка не хотела вовсе, она была вся в искусстве, в литературе, в живописи, в музыке, в театре, ей хотелось заниматься только этим, а никакими не пеленками, распашонками, погремушками и детскими болезнями. И она втайне тихо радовалась, что беременность не наступает.

И все-таки она забеременела, когда ей было уже тридцать четыре года. Ах, как не хотела Геля Сорокина рожать! Не нужен ей был ребенок, не было в ней стремления к материнству. Но она так любила Вилена и так боялась, что он ее бросит, если она сделает аборт, и так ей хотелось его порадовать наследником или наследницей, уж как получится, что она все-таки родила. Родила мальчика, к всеобщей радости. Вилен был счастлив, но его восторга хватило ненадолго. Оказывается, до того, как раскрывать ребенку прекрасный мир искусства, нужно было еще очень долго ждать, причем ждать, не просто сидя в мягком кресле и слушая пластинки с великой музыкой, а занимаясь бесконечными стирками, укачиваниями, детскими смесями, глажкой и не имея возможности полноценно выспаться. Сло-

вом, к сыну Вилен Викторович довольно быстро
охладел и утратил интерес. Конечно, он помогал
жене возиться с ребенком, но Геля видела, что
душу он в это не вкладывал и только раздражал-
ся и сердился. Самой ей материнские обязанности тоже были в тягость, сын ее не радовал,
он мешал предаваться любви к искусству и был
ей совсем не нужен. Он разрушил весь налажен-
ный более чем за десять лет уклад жизни, Сорокины не могли не то что в театр сходить, когда
хочется, они даже музыку послушать не могли,
потому что малыш или спал и его нельзя было
будить, или орал и плакал, и его нужно было носить на руках и укачивать.

Когда мальчик подрос и стало возможным
заняться его образованием, Вилен вроде бы оч-
нулся и снова заинтересовался сыном, но выяснилось, что парнишка куда больше склонен
гонять с ребятами во дворе мяч и драться, а книги читать он не хотел категорически. Учился он
очень средне, а по поведению то и дело приносил в дневнике двойки. Одним словом, меч-
та Вилена Викторовича не сбылась. Но он, как
многие мужчины, довольно ловко дистанциро-
вался от проблем взращивания и воспитания ребенка, и все это пришлось взвалить на себя Ангелине Михайловне, которая и рожала-то только
из желания угодить любимому мужу, а уж возиться с ребенком, который не нужен ей самой

и совершенно неинтересен Вилену, ей и вовсе не хотелось. Но пришлось.

Эта модель повторялась на протяжении их совместной жизни неоднократно, вот и теперь она налицо. Ангелине сразу не понравился Крамарев, и высказанные им идеи вызывали у нее большие сомнения, но Виля загорелся — и для нее этого было достаточно. Она видела, как постепенно стал сникать Вилен после выхода на пенсию, каким он становился хмурым и брюзгливым, видела, что ничто его не радует и не вызывает интереса, даже то, что раньше всегда доставляло удовольствие. Муж стал напоминать Ангелине Михайловне воздушный шарик, который проткнули очень тонкой иглой и из которого незаметно и бесшумно, но непрерывно и неотвратимо выходит воздух. После знакомства с Максимом Вилен Викторович ожил, глаза заблестели, он начал собираться в Москву и возбужденно обсуждал с женой перспективы их совместной жизни в столице. Ангелина была счастлива от того, что муж возвращается к жизни, и решила не обращать внимания на собственную неприязнь к Крамареву: какая разница, симпатичен он ей или нет, главное — он дал Вилену смысл жизни и цель, он дал ему силы и интерес к этой новой, наполненной смыслом, жизни.

Она и сама не заметила, как втянулась, вжилась в роль, и ни за что на свете Ангелина Со-

рокина не призналась бы даже самой себе, что
дело вовсе не в смысле и цели, а исключительно
в том, что ей понравилось жить в Москве. Квартира, конечно, маленькая, однокомнатная, не
сравнить с их хоромами в Новосибирске, но зато
все остальное! И деньги, много денег, которые
Максим дает не считая и которые можно тратить
как угодно. Можно покупать немыслимо дорогие билеты на концерты Доминго и Каррераса,
можно ездить на такси и посещать косметолога
в хорошем салоне, а можно и совсем не тратить
их и копить «на старость». В общем, жизнь с Виленом в столице стала для Ангелины Михайловны самым, наверное, счастливым периодом в
жизни, и ей хотелось, чтобы период этот длился
как можно дольше. А Вилену уже все надоело,
он злится на Максима, который ими руководит
и требует отчета, и на самого себя злится, потому что не может выполнить задание Крамарева,
и на жену — за это же. Вот теперь еще соседка
Людмила... А терпеть его плохое настроение и
страдать от ревности ей, Ангелине.

* * *

Своего ключа от квартиры матери у Максима не было, и ему, как обычно, пришлось долго ждать, пока откроют дверь. После инсульта Зоя Петровна стала инвалидом, левая рука

у нее почти не работала, левая нога плохо ходила, и ей требовалось много времени, чтобы дойти до входной двери. Максим неоднократно ставил вопрос о том, чтобы получить ключи от этой квартиры, но мать каждый раз отказывалась и говорила, что в этом нет необходимости и что она прекрасно со всем справляется сама.

— Не нужно искусственно облегчать мою жизнь, — говорила она. — В конце концов, не ты один ко мне приходишь, меня постоянно посещают разные люди, и мне так или иначе приходится открывать дверь. Я и тебе открою, мне нетрудно. Ничего страшного, если тебе придется лишние три минуты постоять под дверью, не переломишься.

Зоя Петровна всегда была сухой и жесткой, Максим привык к этому с детства и не обижался на мать до поры до времени. То есть ровно до тех пор, пока в его жизни не появился родной отец, Виталий Андреевич, который был ласковым, мягким и открыто любовался сыном, не уставая нахваливать его. Контраст в поведении отца и матери был настолько разительным, что к Максиму снова вернулись его детские сомнения в материнской любви Зои Петровны. Эти мысли были неприятны, беспокоили, нервировали, они возникали всякий раз, когда Крамарев навещал мать или звонил ей.

— Здравствуй, Максим, — сказала Зоя Петровна, открыв наконец дверь, и Максим сразу подумал: «А отец сказал бы: «Здравствуй, сынок». Она за всю жизнь не сказала мне ни одного доброго слова, ни разу ласково не назвала, всегда только по имени».

Максим не мог не отметить, что мать, несмотря на многолетнюю болезнь, выглядит хорошо. Зоя Петровна очень следила за собой, к ней на дом постоянно приходила мастер из салона красоты и приводила в порядок голову и ногти на руках и ногах, и одеваться мать старалась элегантно, насколько это было возможно в ее положении, во всяком случае, Максим никогда не заставал ее в халате, пижаме или в чем-либо сугубо домашнем. К Зое Петровне часто приходили авторы, редакторы, курьеры из издательств, приятельницы, коллеги по институту военных переводчиков, где она до болезни преподавала немецкий, и ей приходилось постоянно быть в готовности принять гостей. И никакого беспорядка в квартире она, разумеется, тоже не допускала.

Максим поцеловал мать и понес на кухню сумки с продуктами. Ну почему она такая упрямая? Почему не хочет жить вместе с семьей сына в большом загородном доме? Положа руку на сердце, Максим и сам не хотел жить с матерью, очень уж у нее тяжелый характер, но ему было бы проще и спокойнее, если бы она была постоянно под присмотром. По крайней мере он мог бы не бояться, что с ней что-то случится, например, еще один инсульт, или она просто упадет и разобьется.

— Ты приехал только для того, чтобы привезти продукты? — спросила она. — Напрасно. Прислал бы водителя, как всегда. Ты занятой человек, у тебя много работы, нечего отрывать время от дела.

У Зои Петровны была поражена вся левая половина тела, поэтому речь была не очень внятной, но Максим за много лет приноровился и хорошо понимал мать.

Он разложил принесенные продукты в холодильнике и зашел в комнату, где Зоя Петровна сидела за заваленным рукописями столом: несмотря на давнюю инвалидность, она до сих пор работала — безупречное знание немецкого языка в сочетании с терпением, усидчивостью и способностью к высокой концентрации внимания позволяло быть превосходным корректором. Ей приносили рукописи учебников, пособий, разговорников и хрестоматий, к ней обращались также студенты и научные работники, если готовили дипломы и диссертации с большими объемами текста на немецком. Максим искренне не понимал, зачем матери нужно работать, ведь он обеспечивает ее всем необходимым и готов оплачивать все ее желания и потребности.

— Как у тебя дела? — спросила Зоя Петровна.

— Нормально. Концерн работает, приносит прибыль.

— А твои политические игрища? Ты все еще занимаешься этой ерундой или уже наконец бросил?

— Мама, политика — это не ерунда, это очень серьезная и важная вещь, — терпеливо ответил Крамарев. — Ты же нормальный современный человек, ты читаешь газеты, смотришь телевизор, как же ты можешь этого не понимать?

— Максим, у тебя и так есть все, чтобы быть счастливым. Власть никогда и никого до добра не доводила, поверь мне. Это все влияние отца. Я потому и ушла от него, что очень уж он власти хотел и все рвался карьеру делать любыми путями, даже некрасивыми и неправедными. Он все уши мне прожужжал про свои интриги на работе, под всех прогибался, все искал, чью бы еще задницу вылизать, чтобы продвинуться хотя бы на миллиметр наверх. Вот и тебя он заразил своими идеями, а ведь это все пустое, Максим. В этом нет смысла.

— В этом есть огромный смысл, — убежденно ответил Максим. — Просто ты не понимаешь...

— Я все отлично понимаю, — перебила его мать. — Я понимаю, что ты в свои сорок два года попал под влияние далеко не лучшего представителя мужского населения. Ты взрослый человек, у тебя должно быть собственное мнение и собственное понимание жизни, и оно у тебя было, пока не появился твой отец. А теперь в его руках ты превратился в маленького несмышленыша, которым он крутит как хочет. Неужели ты сам не видишь, что ты просто орудие в его руках? Он сам не смог добиться власти, так теперь хочет реализоваться в тебе. Я никогда не понимала и не одобряла родителей, которые пытаются заставить своих детей пройти тот путь, который они не смогли пройти сами. Виталий всегда был мелочным и пустым человеком и остался им, а ты пляшешь под его дудку.

Максиму неприятно было все это выслушивать, и если сначала он решил промолчать, то к концу тирады Зои Петровны не выдержал и сорвался.

— Ну конечно, первый муж у тебя пустой и мелочный, зато твой второй муж Севочка куда как лучше, — зло проговорил он. — Бросил тебя больную, после инсульта, и не поморщился, новую семью завел. Это, по-твоему, куда более достойно, чем пытаться сделать карьеру теми способами, которые были приняты в советское время.

Зоя Петровна долго молчала, комкая ладонью здоровой правой руки чистый лист бумаги.

— Я все ждала, когда же ты заговоришь об этом, много лет ждала. Ты молчал, и это позволило мне надеяться на то, что ты все понимаешь, и понимаешь правильно. Оказалось, что я ошибалась, ты глуп, как малое дитя, и ничего не понял. Ну что ж, придется тебе объяснить. Когда я заболела, я сама попросила Всеволода уйти.

— Почему? Тебе нужна была поддержка — и моральная, и физическая. Я тогда только-только школу окончил, в институт готовился, от меня помощи никакой не было. Почему же ты его выгнала?

— Не выгнала, а отпустила, — поправила его мать. — Сева был еще совсем молодым мужчиной, он должен был иметь нормальную семью, жену, детей, а я для роли жены и матери уже не годилась. Я не хотела камнем висеть на шее мужа, поэтому и попросила его уйти. Мне так было легче. Я сама настояла на том, чтобы он ушел. Я настояла, хотя Сева долго сопротивлялся, он хотел поступить порядочно и остаться рядом со мной. Но я-то понимала, что настоящей любви между нами уже не будет, я буду постоянно чувствовать себя виноватой в том, что он не живет полноценной жизнью, и в конце концов возненавижу его за это непрерывное чувство вины. А уж за что он мог бы возненавидеть меня — и так понятно. Зачем двум нормальным, вменяемым и хорошо друг к другу относящимся людям жить в обстановке взаимной ненависти?

— Само собой, — сердито бросил Максим, — уж лучше остаться вообще без помощи и поддержки.

— Я не осталась, — голос Зои Петровны, казалось, стал чуть мягче, хотя из-за дефекта речи Максим не был в этом полностью уверен. — Сева помогал мне все эти годы. Он постоянно приходил и до сих пор приходит, он и материальную поддержку мне оказывал, когда было трудно, и с продуктами помогал, когда из магазинов все исчезло. И тебя, между прочим, в институт устроил тоже он, и с работой он тебе на первых порах помог. А ты, наверное, думал, что это ты сам такой ловкий и удалый?

Максим молчал. О том, что его поступление в институт было не полностью его собственной заслугой, он слышал впервые. Да, он получил на вступительных экзаменах две четверки и две пятерки, это в сумме было ровно на один балл меньше, чем требовалось, но ведь у него были блестящие характеристики и спортивные достижения, и он был уверен, что именно эти два обстоятельства решили дело. Оказывается, его зачислили вовсе не поэтому...

— Зато мне было легче при мысли, что я никому не в тягость, — продолжала мать. — Я ведь и тебе не была в тягость, во всяком случае, я старалась, и в этом немалая заслуга именно Севы, который брал на себя большинство проблем и забот, связанных со мной. Я хотела, чтобы ты нормально учился в институте, чтобы тебя ничто не отвлекало от получения образования и чтобы ты спокойно начал свою трудовую деятельность и делал карьеру так, как это принято у порядочных людей, а не так, как это понимал твой отец. Я хотела тебе добра.

— Добра? Лучше бы ты меня просто любила, — невольно вырвалось у Крамарева.

Мать недоуменно посмотрела на него.

— Я не поняла, что ты имеешь в виду. Объяснись.

— Ты никогда меня не любила. Ты всегда больше любила Мишку, я это постоянно видел и чувствовал. Я от тебя за всю жизнь доброго слова не услышал, ты меня даже ни разу не похвалила. Ты сама не замечала?

* * *

Зоя Петровна слушала сына и с горечью признавала, что Максим в чем-то прав. Пусть не во всем, но в чем-то... Конечно же, не в том, что она его не любила. Она очень любила своего старшего сына, своего первенца, но...

Ей было всего двадцать, когда она вышла замуж за Виталия Крамарева, энергичного, красивого, активного, как ей казалось — целеустремленного. Виталий совершенно заворожил ее бесконечными разговорами о том, что он хотел бы в жизни сделать, чего достичь, и она по молодости лет не уловила, что все эти достижения были связаны с мечтами о должностях, а не о собственных профессиональных усилиях. Когда Зоя это поняла, она уже была беременной, а когда Максиму было полтора годика, не выдержала бесконечных разговоров об интригах, о том, кто кого подсиживает, кто кому что сказал, кто на кого посмотрел и кого куда после этого назначили, и ушла от мужа. Все его устремления сделать карьеру путем холуйского угождения были ей глубоко противны.

Потом она встретила Всеволода Савиных, Севочку, который был на пять лет моложе и казался ей поначалу совсем ребенком, однако через короткое время она поняла, что Сева — взрослый зрелый человек, ответственный, мужественный и сильный. Ей казалось, что таких не бывает, что слишком уж он молод, чтобы быть зрелым и сильным, однако они продолжали встречаться, и Зоя с каждым разом все больше убеждалась в том, что на него можно положиться, что он надежный и настоящий. Сева в то время работал и учился на вечернем отделении института.

Спустя два года они поженились, Максиму тогда было пять с половиной лет, и он отлично понимал, что дядя Сева — не папа, хотя родного отца не помнил вовсе. Еще через год, в 1973-м, у Зои и Всеволода родился сын Мишенька. И если за младшего мальчика Зоя всегда была спокойна, то за Максима у нее постоянно болела душа: она очень боялась, что отношения между сыном от первого брака и новым мужем не сложатся, ей казалось, что, если мальчик будет не самым лучшим, не самым умным и не самым послушным на свете, Сева в нем разочаруется и Максим начнет его раздражать. Тем более что Сева был таким серьезным, ответственным, настоящим тружеником, честным и порядочным человеком и любые недостатки в неродном сыне мог воспринять негативно.

И еще одно беспокоило Зою Петровну: она опасалась, как бы Максим не унаследовал от родного отца стремление к должностям и готовность к холуйству. Она воспитывала сына в строгости и постоянно внушала ему, что главное — это собственный труд и собственные достижения, что всем нужно заниматься вдумчиво и серьезно и достигать высоких результатов, что ни в коем случае ничего вплоть до мытья посуды нельзя делать кое-как, нужно все делать только на «отлично». Зоя Петровна говорила Максиму, что человек может гордиться только результатом своего труда, а вовсе не должностью и не привилегиями. Если сын приносил из школы отличные оценки, мать никогда не хвалила его — боялась перехвалить, только удовлетворенно кивала, мол, так и надо и ничего другого она не ждала и не потерпит. Когда Максим начал заниматься спортом, Зоя Петровна тоже ждала от него только высоких достижений. «Ты можешь сделать еще лучше, — повторяла она, — еще больше, еще качественнее, нельзя останавливаться на достигнутом и почивать на лаврах. Нужно стремиться выше и выше». И он стремился. Зоя Петровна боялась, что Сева будет недоволен мальчиком, и гнала сына вперед и вперед, к тому же она хотела, чтобы Максим уверенно владел знаниями и мог впоследствии найти себя в профессии.

Поэтому и не говорила сыну, что любит его, что он у нее самый лучший, самый замечательный. Для него же старалась. Понятно, что теперь, когда Виталий Андреевич все уши прожужжал Максиму о том, какой он чудесный и умный, сын слушает только отца. Теперь для него отец со своими нереализованными амбициями — свет в окошке. Вот она, обратная сторона родительской строгости, которую использовали, казалось бы, исключительно во благо.

Но как, как объяснить все это Максиму теперь, когда ему сорок два года и когда он полностью подпал под влияние отца, потому что чувствует себя недолюбленным матерью? Вести со взрослым человеком душещипательные разговоры? Смешно начинать сейчас, если никогда прежде этого не делала. Не таковыми были отношения между матерью и сыном, не было в них места теплой искренности и доверительности. Стиль общения сложился за много лет, и невозможно вдруг, в одну минуту, изменить его. Но и промолчать, закрыть тему и отпустить Максима с мыслью, что он прав и что Зоя Петровна действительно больше любила младшего сына, Мишеньку, совершенно невозможно. Нужно найти какие-то слова, доходчивые, правильные и убедительные. Но у Зои Петровны не было навыка поиска таких слов в разговоре с сыном, все их общение за много лет сводилось к формуле «указание — отчет о выполнении». И она произнесла единственное, что пришло в тот момент в голову:

— Ты не прав, Максим. Все это не так.

У нее не хватило душевных сил добавить: «Я тебя всегда очень любила и сейчас люблю». Зоя Петровна понимала, что надо это сказать. Но не смогла.

* * *

Опасения Насти Каменской оказались не напрасными: когда она нашла и опросила всех людей из списка, информации было так же мало, как и в начале работы. Необходимость ехать в Руновск встала перед ней в полный рост в пятницу днем, однако отъезд пришлось отложить до вечера воскресенья — в выходные дни делать ей в Руновске нечего.

— Я тебе сколько раз повторял: не дергайся, — со смехом говорил ей Стасов по телефону. — Отдыхай, расслабляйся, готовься к следующему этапу работы. Поедешь в воскресенье вечером и с понедельника приступишь к изысканиям.

— Да я и так на этом задании не убилась, — оправдывалась Настя. — Мне кажется, я тут больше по кофейням рассиживаюсь и по набережной прогуливаюсь, чем работаю.

— Привыкай, — философски ответил Стасов, — работа частного детектива тем и отличается от работы сыщика при погонах и при ксиве. Сыщик вхож в любую дверь в любой день недели, а нам, любителям, приходится считаться с желаниями людей и их возможностями общаться с нами. Нам с тобой никто ничего не должен, мы не государственные служащие. Короче, Каменская, не парься сама и мне мозг не выноси.

В субботу до самого вечера Настя и Чистяков гуляли, загорали, плавали в гостиничном бассейне и наслаждались жизнью. А ночью случилась южная гроза, которой Настя никогда в жизни не видела и очень испугалась. Проснулась она от множественных вспышек в окне и мгновенно впала в панику, потому что грома не услышала. Вспышек было очень много, они следовали одна за другой практически без интервала. Трясясь от страха, она разбудила Алексея, который быстро разобрался, что к чему.

— Это гроза, Аська, бояться нечего.

— Но грома же нет, — возразила она дрожащим голосом. — Может, война началась?

— Тьфу на тебя! — рассердился Чистяков. — Открой окно — услышишь гром. Здесь хорошие стеклопакеты стоят.

— А если не услышу?

— Услышишь, куда ты денешься.

Он перевернулся на другой бок и натянул на себя одеяло до самого носа. Настя побоялась еще немножко, потом выползла из постели, подошла к окну и открыла створку. Конечно же, это была обыкновенная гроза.

Дождь лил всю ночь, и воскресенье было пасмурным и ветреным, гулять не хотелось, они валялись в номере, спали, болтали, по очереди играли в игрушки на айподе, потом Чистяков вслух дочитывал очередной триллер, а Настя тупо слушала, хотя мало что понимала — начало Алексей читал без нее.

Вечером они простились с гостеприимным хозяином отеля Бессоновым и отправились на вокзал, едва не опоздав на поезд: Бессонов никак не соглашался отпустить их без прощального бокала вина. Спальных вагонов в поезде не было, но Стасов разрешил купить четыре билета и занять вдвоем целое купе, так что до Руновска Настя с мужем доехали с относительным комфортом. Правда, чай, который принесла похмельного вида проводница, был на вкус более чем отвратительным, зато пирожки, сунутые им «на дорожку» Бессоновым, оказались на диво удачными, и это с избытком компенсировало все прочие неудобства.

Еще в Южноморске Настя при помощи Интернета выяснила, что гостиница в Руновске только одна, и та крайне невысокого пошиба. Поэтому когда в понедельник утром они увидели на вокзале женщин всех возрастов с картонными табличками «Квартиры, комнаты, недорого», то решили жилищный вопрос за пять минут. Толстая добродушная тетка пообещала, что квартира в центре, хорошая, чистая, и от больницы недалеко.

— Лечиться приехали? — Она с сочувствием посмотрела на Настю, когда услышала ее вопрос про больницу. — Или у вас там лежит кто?

— Да мы по делу, — уклончиво ответила Настя. — А что, у вас действительно многие жилье сдают? Я смотрю, тут прямо целая толпа с табличками.

— Многие сдают, многие, — закивала тетка, шустро проталкиваясь через вокзальную толпу. — У нас ведь в городе с работой трудно, и все, у кого есть дачи, на теплый сезон туда перебираются, а городское жилье сдают. Все-таки приработок.

— Неужели так много желающих снять квартиру или комнату? — удивился Чистяков. — Откуда же столько приезжих? Если в городе работы нет, то и производства нет, а если нет производства, то откуда же взяться командированным?

— Так жилье не командированные снимают, а отдыхающие, вот как раз на сезон им жилье и нужно, — охотно объяснила тетка. — У нас тут водохранилище и рыбалка отменная, здесь еще при советской власти всякие шишки отдыхали, для них и государственные дачи строили, и рыбу разводили, и пляжи благоустраивали. И леса у нас грибные. К нам со всей области отдыхать ездят.

Тетка не обманула, маленькая, но уютная и чистая квартирка действительно оказалась в самом центре города, в десяти минутах ходьбы от вокзала и в трех кварталах от больницы, и посуточная аренда ее, к слову заметить, стоила меньше, чем их шикарный номер в отеле «Райский уголок». Пока Настя принимала душ и мыла голову, Чистяков сходил в расположенный в этом же доме магазин, купил ряженку, сладкую творожную массу, черный хлеб, сахар и растворимый кофе. Они быстро позавтракали и отправились в местную больницу.

На заданный в регистратуре вопрос о том, помнит ли кто-нибудь доктора Евтеева, Настя получила от молоденькой сестрички лаконичный ответ:

— Лично я не помню. Он когда здесь работал?

— До восемьдесят пятого года.

— У-у, я тогда вообще еще не родилась. У нас в больнице персонал молодой, никто так долго не работает. Если только Волкова...

— Кто такая Волкова?

— Светлана Борисовна, хирургическая сестра. Она уже совсем старая, ей пару лет назад пятидесятилетие устраивали.

При этих словах Настя поморщилась, а Чистяков незаметно ткнул ее локтем в бок. Совсем старая... Это о женщине, которой всего пятьдесят два — пятьдесят три года? Господи, какими же странными представлениями забиты головы у молодых девочек!

Светлану Борисовну Волкову они нашли легко.

— Да, я помню Дмитрия Васильевича, — кивнула она. — А что случилось?

— Он умер. Точнее, его убили.

Волкова охнула и схватилась ладонями за виски.

— Как — убили? Как же так? За что?

Она долго не могла смириться с этой новостью и все причитала, каким хорошим врачом был Евтеев, каким прекрасным хирургом, каким добрым и внимательным с коллегами, как душой болел за каждого ребенка, будто за родного.

— Когда те мальчики умерли один за другим, он вообще почернел весь, неделю ни с кем не разговаривал, а потом уволился из нашей больницы — вот как переживал.

— Какие мальчики? — насторожилась Настя.

— Ну как же, известный случай, тогда весь Руновск гудел, громкое было дело. Как раз в восемьдесят четвертом году, буквально за несколько месяцев до того, как Дмитрий Васильевич уволился и в другой город переехал. У нас рядом с городом пионерский лагерь был, и трое мальчишек сбежали на водохранилище, а там территория госдач для обкомовских и прочих крупных деятелей. Ребята как-то пролезли через ограду и вышли на закрытую часть берега, где стояли плавсредства для важных отдыхающих. Двое мальчишек угнали моторку, а третий — катер, и начали гонять по водохранилищу. Охрана увидела, все выбежали на берег, стали кричать им в мегафон, чтобы немедленно вернулись, мальчишки, видно, перепугались, не справились с управлением, и тот, что был на катере, на полном ходу врезался в моторку. Моторку, понятное дело, разнесло в клочья, мальчик из катера вывалился. В общем, ужас! Один ребенок утонул сразу, двое других получили тяжелые травмы, их выловили и доставили в нашу больницу, Дмитрий Васильевич их оперировал. Но один из мальчиков умер во время операции, а другой еще пару дней полежал в реанимации и тоже скончался, не приходя в сознание. Я все это очень хорошо помню, я же в те годы стояла у стола рядом с Дмитрием Васильевичем. Ох, как он переживал! У него давно летальных исходов не было, а тут два подряд.

— Уголовное дело возбуждали, не помните?

— Ну, в этом я не разбираюсь, но милиции было много, это точно, они все время в больнице крутились, все расспрашивали, как там да что было.

— Кого расспрашивали? — удивилась Настя.

В самом деле, кого можно было расспрашивать в больнице о происшествии на водохранилище? Что больничный персонал мог об этом знать?

— Так охранников же, — пояснила Волкова, — охранников, которые ребят спугнули и у которых на глазах это все и случилось. Охранники все время тут толклись, ждали, как операции закончатся, тоже, видно, переживали. Вот милиция их тут и опрашивала. И пионервожатая здесь в коридоре сидела, места себе не находила, ведь это по ее недогляду пацаны из лагеря сбежали. Она-то вообще с лица спала, одни глаза остались. И когда родители мальчиков приехали, ей пришлось самой с ними объясняться, директор лагеря ей так и заявил: сама виновата — сама и расхлебывай, я твое разгильдяйство покрывать не буду. На нее смотреть было страшно. Бедная девочка. Ей и мальчишек было жалко, и родителей их, и себя, ее ведь могли за это из пединститута выгнать и из комсомола. Но ничего, обошлось, институт она окончила, в школе работала. Теперь уже завуч, уважаемый человек...

Со Светланой Борисовной они проговорили еще почти час и ушли из больницы, унося с собой имя и фамилию бывшей пионервожатой, а теперь уже завуча и уважаемого человека. Волкова даже номер и адрес школы им сказала — в этой школе когда-то училась ее дочь, и бывшая пионервожатая, а ныне завуч преподавала ей русский язык и литературу.

— Ну что, дернем в школу? — бодро предложил Чистяков. — Адрес у нас есть.

— Но у нас нет карты, — с сомнением возразила Настя. — Ты же только по карте умеешь адреса находить.

— А ты и этого не умеешь, — отпарировал он. — Кроме того, не знаю, как у тебя, а у меня, например, есть язык, а школа совершенно точно находится ближе, чем Киев. Доберемся.

Они и в самом деле добрались до нужной им школы меньше чем за полчаса, но оказалось, что завуч уехала на совещание в департамент образования и будет на работе только завтра.

— Что будем делать? — огорченно спросила Настя.

— А пошли в кино, — неожиданно предложил Алексей. — Мы с тобой когда в последний раз в кино ходили, помнишь?

— Помню, — кивнула она. — Это был девяносто первый год. Я вернулась утром из командировки, в поезде всю ночь не спала, и у меня дико болела голова, а ты вечером потащил меня на какой-то ужасно плохой американский фильм, и мне в кинотеатре было так хреново, что я с тех пор смотрю фильмы только на кассетах и дисках, лежа на собственном диване.

— Смотри-ка, — удивился он, — и в самом деле помнишь, а я думал, ты эту эпопею забыла, и собирался тебе напомнить. Ну так что, Аська, тряхнем стариной, вспомним молодость? Будем надеяться, что в этой дыре есть хотя бы один кинотеатр.

— А давай! — азартно согласилась Настя. — Будет совсем смешно, если мы снова попадем на очень плохое американское кино.

Кинозал они обнаружили неподалеку, в Доме культуры мебельной фабрики, и долго смеялись, стоя перед афишей, сообщавшей, что смотреть им предстоит американский боевик. Правда, Чистяков этот фильм уже смотрел, но они все равно купили билеты. До сеанса оставался почти час.

— Девушка, давайте я угощу вас мороженым и газводой с малиновым сиропом, чтобы все было, как в нашей с вами юности, — с улыбкой сказал Алексей. — Мы будем есть мороженое и гулять вокруг Дома культуры.

Настя осмотрелась вокруг и заметила, что билеты покупает в основном молодежь. Ей стало вдруг неловко.

— Леш, я чувствую себя такой старой, — призналась она. — Смотри, здесь в кино ходят одни пацаны и девчонки. Мне как-то не по себе. Может, не пойдем? А то будем тут у всех на виду, как водокачка в чистом поле.

— Неправда твоя, матушка, — возразил он. — Я, например, заприметил мужичка лет тридцати пяти с дамой пышных форм и выдающихся достоинств. Они тоже хотят посмотреть кино и, судя по их уверенному виду, никого не стесняются.

— Ладно, — вздохнула она, — пошли покупать мне мороженое.

— А мне?

— А ты — нищий девятиклассник, у тебя на две порции денег не хватает, ты и так на билеты потратился, — поддразнила его Настя. — Ты же

хотел, чтобы было как в нашей юности, вот так
и будет.

— Аська, у меня хорошая память. В тот раз,
когда мне не хватило денег на два мороженых,
ты из солидарности отказалась от угощения, я
помню.

Она рассмеялась и поцеловала Чистякова в
щеку. Они купили по две порции эскимо и принялись неторопливо прогуливаться вокруг здания, где был расположен кинозал.

— Леш, как же так получилось, что врач, у
которого умерли практически одновременно два
пациента, вдруг получает такое повышение? —
задумчиво произнесла Настя. — Вот мы с тобой
своими глазами видим, какой заштатный маленький городок этот Руновск. И вдруг отсюда,
с должности рядового хирурга, пусть и с очень
хорошей репутацией, — в Южноморск, в детскую клиническую больницу, да еще на должность заведующего отделением. Что-то тут не
складывается.

— А если посмотреть документы?

— Какие документы, Леша? Прошло двадцать шесть лет. У всех документов есть сроки
хранения в архиве, в противном случае все архи-
вы уже разрослись бы до немыслимых размеров.
Уголовное дело — это одна песня, а отказной материал — совсем другая. По случаю на водохранилище наверняка был именно отказной, там же

нет виноватых, кроме самих мальчиков. Но ты прав, нужно, конечно, это уточнить. Сейчас, подожди, я позвоню Стасову, пусть напряжется и найдет мне контакт в местной милиции.

Стасов с контактом обещал помочь и, в свою очередь, сообщил, что получил ответ от агентства, которое занимается изысканиями в области генеалогии. В родословной Евтеевых нет никаких богатых купцов, графьев и прочих аристократов, так что фамильным ценностям взяться неоткуда.

— Впрочем, я так понимаю, что тебе это уже не очень интересно, — заметил он. — Я прав?

— Прав. Мне кажется, что истоки истории с Евтеевым надо искать именно в восемьдесят четвертом году, когда умерли два подростка, а доктора так внезапно повысили, — уверенно ответила Настя. — Стасов, помоги побыстрее, а? Мне же ничего особенного не нужно, только старое дело из архива, если оно вообще там есть. Ты все данные записал?

— Записал, не волнуйся. Как сама? Чем занимаешься?

— В кино собираюсь, — честно призналась она. — Мороженое ем.

— Вот и умница.

Еще один круг по периметру здания Дома культуры они сделали в полном молчании, потом Настя снова заговорила:

— А ты обратил внимание, что нам как будто рассказывали совсем про другого Евтеева?

— Обратил, — кивнул Чистяков. — Тоже вроде бы хирург, но только спокойный, добрый, внимательный к коллегам. Волкова ни слова не сказала про то, что он мог быть грубым, обижал людей, ругался и так далее.

— Вот именно. И Евгений Евтеев говорил то же самое, дескать, у отца после переезда сильно испортился характер. Что же случилось с нашим доктором, как ты думаешь? Почему он так переменился? Нет, Леш, я нутром чую, именно здесь корень всей истории.

Он посмотрел на часы и потянул Настю к входу.

— А я нутром чую, что кино могут начать показывать без нас. Жалко, билеты пропадут, я их на последние деньги покупал, даже на обеде сэкономил.

Настя охнула:

— Слушай, я совсем забыла, мы же с тобой и правда без обеда сегодня! Я-то ладно, мне мороженого хватило, а ты, наверное, голодный. Может, ну его, это кино, пойдем лучше тебя покормим, а?

Но Чистяков уже протягивал билеты контролеру и уверенно вел ее в зал смотреть американский боевик.

Глава 12

После вчерашнего разговора с матерью Максим Крамарев злился на самого себя за то, что не сдержался и сказал то, что думал. Он давно уже отвык говорить вслух то, что думает на самом деле, его с детства приучили быть сдержанным и воспитанным, никому не грубить и никого не обижать. Но неудачи последнего времени совершенно выбили его из колеи. Дело, ради которого он связался с Гашиным и Сорокиными, никак не двигалось, вожделенный результат не давался в руки, а без этого результата победить Разуваева и выиграть выборы было более чем проблематично. Крамарев нервничал и с каждым днем все с большим трудом держал себя в руках. Разговор с Зоей Петровной ясно показал, что нервы у Крамарева на пределе, в противном случае он ни за что не помянул бы недобрым словом ее второго мужа Всеволода и, уж конечно, не упрекнул бы мать в том, что она его не любила. «Я дошел до ручки, — сердито думал Максим, глядя в окно автомобиля на мелькающие вывески магазинов и ресторанов вдоль Ленинского проспекта. — Я начал срываться. Куда меня это заведет? Я должен быть собранным и выдержанным, а я все время борюсь с желанием наброситься на собеседника и высказать ему в глаза все, о чем давно молчал. Утром на Катерину наорал не по делу. Водителю выволочку устроил. Сейчас еще с Гашиным придется разговаривать. Хорошо, если он будет вменяемым. А если он снова напился? Тогда я за себя не поручусь. Мне бы уехать куда-нибудь отдохнуть на пару недель вместе с Жанной, выспаться, намолчаться, наплаваться досыта... Но куда сейчас уедешь!»

Машина остановилась перед подъездом ничем не примечательной многоэтажки. Крамарев сразу увидел автомобиль с сидящими в нем двумя охранниками, которым поручено было караулить Гашина. Именно караулить, а вовсе не охранять. Потому что Славомиру Ильичу строго-настрого запрещено было покидать квартиру. Увидев Максима, один из охранников открыл дверь и вышел.

— Все спокойно, Максим Витальевич, — доложил он.

— Он пытался выйти? — спросил Крамарев.

— И не один раз, — усмехнулся охранник. — Но мы все делали, как вы сказали. Мол, если вам что-то нужно, вы нам скажите — мы принесем.

Крамарев нахмурился.

— И что вы ему приносили?

— Еду, — охранник отвел глаза. — Прессу.

— И выпивку?

— Вы же не говорили, что нельзя, — принялся оправдываться тот. — Вы сказали, что он не должен выходить. А уж чем он там занимается, это не наше дело.

Значит, Гашин все-таки попивает... Это плохо. С одной стороны, он сейчас не особенно нужен, все равно его нельзя задействовать, но, с другой стороны, куда лучше, если голова у него будет светлой и ясной. Все-таки он порой дает дельные советы и высказывает интересные соображения. Нет, нельзя допускать, чтобы Славомир уходил в запой, все может сдвинуться с мертвой точки в любой момент, и тогда Крамареву понадобятся способности Гашина. Или не понадобятся? В принципе, без Славомира можно и обойтись, пусть напивается, пусть делает что хочет, только на улицу не показывается и глупостей не творит.

Следом за Крамаревым из машины вышел его собственный охранник и теперь стоял за спиной Максима, ожидая, куда двинется шеф. Они вместе вошли в подъезд и поднялись на двенадцатый этаж, где в съемной квартире обитал Славомир Ильич Гашин. Еще стоя перед закрытой дверью, Крамарев уловил звук работающего телевизора, включенный на полную мощность. Значит, Гашин работает. Он всегда работает под громкие звуки, вот так странно он устроен. Но коль работает, стало быть, не сильно пьян, а может, и вовсе трезв.

— С инспекцией явился? — криво усмехнулся Гашин, подняв голову от компьютера. — Уже церберы настучали?

— Никто не настучал, — пожал плечами Максим. — Просто приехал проведать. Но информацию, конечно, я получил. Ты не зарвался, Слава? Может, пора уже притормозить с алкоголем? И звук убери, разговаривать невозможно.

— Я сам знаю, когда мне пора, — огрызнулся Славомир Ильич, нажимая кнопку на пульте от телевизора. — Ты же видишь, я работаю. Я много работаю.

Он демонстративно опустил голову и написал на компьютере несколько слов. Когда он снова посмотрел на Крамарева, лицо его выражало торжество, а глаза горели вдохновением.

— Ты знаешь, у меня стало получаться то, что не получалось много лет. Нет, кроме шуток, Максим, у меня действительно работа пошла. Я такое придумал! Знаешь, я от себя такого не ожидал, думал, со мной все кончено и ничего уже не будет. А оказалось, рано я себя похоронил, я еще могу творить!

— А не пить ты не можешь? — скептически осведомился Максим. — Слава, ну пойми же, не время сейчас. Ты так хорошо держался последнее время, и вот теперь эта баба... Простить себе не могу, что упустил тебя из виду и позволил втянуться в какой-то нелепый роман.

— Он не нелепый! — вспыхнул Гашин.

— Ну хорошо, а какой же? Какой, если в результате ты не можешь больше жить в моем доме и вынужден прятаться здесь? Тебе мало было одной Ольги? Какого черта ты вообще ввязался в знакомство с этой Валентиной? Чего тебе неймется? Тебе пятьдесят четыре года, пора бы уже успокоиться и не менять баб каждый месяц. Тоже мне, Казанова!

Гашин встал и сделал несколько шагов по просторной комнате, в которой почти не было мебели, только два кресла и диван, на котором он сидел с ноутбуком на коленях. Его глаза сияли, красивые губы изогнулись в готовности улыбнуться, и Максим невольно залюбовался его стройной легкой фигурой.

— Ты не понимаешь. Мне нужна острота, мне нужны сильные эмоции, я не выношу пресности и застоя, я не могу работать, когда все стабильно и предсказуемо. Мне надо, чтобы меня раздирало на части, чтобы я терял сон и покой. Только так у меня может что-то получиться. И у меня получается! Вот посмотришь, скоро обо мне заговорят. Плевать на Ольгу, плевать на Валентину, главное — это моя работа. Если мои женщины приносят ей пользу — значит, пусть они будут.

Максим устало опустился в кресло, вытянул ноги, закурил.

— Твои женщины приносят пользу твоей работе, но тебе самому они приносят только вред. Ты сам видишь, к чему это все привело. Тебе же не нравится сидеть тут взаперти, правда? Но ты вынужден, и это — результат твоих необдуманных действий.

— Это — результат твоей мнительности, — резко отпарировал Славомир Ильич. — У тебя паранойя, Максим, ты всюду видишь опасность, ты в каждом встречном подозреваешь врага. Я уверен, что, если ты отзовешь своих церберов и позволишь мне свободно выходить, ничего страшного не произойдет. Никто меня не схватит и не украдет. Кому я нужен?

— Знаешь, я бы объяснил тебе, кому ты нужен, только лень слова зря тратить. Будешь сидеть здесь, пока я не позволю тебе выйти.

— И когда можно ожидать этого светлого дня? — надменно спросил Гашин.

— Боюсь, что еще не скоро. Так что готовься к длительному затворничеству, — усмехнулся

Крамарев. — Мне твоей самодеятельности больше не надо, она мне слишком дорого обходится. Сиди, твори, занимайся делом. И постарайся все-таки не пить.

— Да тебе-то какое дело, пью я или нет?

Гашин подошел к дивану и поднял с пола наполовину пустую бутылку виски, осмотрел ее пристально, словно видел в первый раз, потряс, поднеся к уху, потом сделал большой глоток прямо из горлышка и замер, прислушиваясь к ощущениям.

— Что тебе с моей трезвости? — продолжал он, ставя бутылку на пол. — Ты же совершенно перестал меня использовать, ты даже стариков Сорокиных сюда не привозишь, вы все решаете без меня, как будто меня нет, как будто я больше не участвую в деле. Ты мне ничего не рассказываешь, ничем не делишься, не советуешься, как было раньше. Да, я пью. А кому это мешает? Моей работе? Ничего подобного. Я сейчас работаю так, как не работал уже давно.

— А как прикажешь тебя использовать, если тебя нельзя отсюда выпускать? И Сорокиных я не могу сюда привезти ради твоей же безопасности, идиот!

Максим снова сорвался, хотя давал себе слово держаться из последних сил. И настроение у него из-за этого еще больше испортилось.

— Неужели ты своими тухлыми мозгами не можешь сообразить, что чем меньше народу знает, где ты находишься, тем спокойнее для тебя же самого!

— Не ори на меня, — спокойно произнес Гашин, делая очередной глоток из бутылки. — Что, ты уже и Сорокиным не доверяешь?

— Я никому не доверяю. Именно поэтому я достиг в жизни того, чего достиг. И я буду на тебя орать ровно столько, сколько ты своими выходками будешь ставить под угрозу мои достижения. Ты меня понял?

Гашин плюхнулся на диван, развалился на нем и миролюбиво улыбнулся:

— Вполне. Я понял, что ты — параноик. Но я от тебя завишу в материальном плане, поэтому буду покорно выполнять твои абсолютно придурочные требования. Я буду тихо сидеть в этой квартире, работать и пить. Кстати, у меня заканчиваются деньги, так что если ты не намерен в ближайшие дни снова меня навестить, то сделай соответствующие выводы.

Крамарев молча достал бумажник и положил на диван рядом с Гашиным несколько пятитысячных купюр. Не надо было связываться со Славомиром, ох, не надо было! Но ведь Максиму поначалу казалось, что он может быть очень полезным. А он такого наворотил... Польза от Гашина, конечно, какая-то была, но вреда оказалось куда больше. Он принес в их общее дело не движение к результату, а одни проблемы.

* * *

Ольга так глубоко задумалась, что едва не упустила кофе, который варила в джезве. Осадив пену несколькими каплями холодной воды, она разлила напиток в чашки, поставила на поднос вместе с сахарницей и молочником и отнесла в комнату, где ее терпеливо ждал симпатичный мужчина, назвавшийся Михаилом, частный детектив, который зачем-то разыскивает Славомира. Назвать имя заказчика, поручившего ему работу, Михаил отказался, и Ольга терялась в догадках: что все это может означать?

— Поймите, Михаил, — сказала она, — я ничего от вас не скрываю, я действительно понятия не имею, где может находиться Славомир Ильич. И положа руку на сердце, скажу: если бы у меня были лишние деньги, я бы сама заказала вам его поиски. Я не меньше вас заинтересована в том, чтобы его найти. Я хочу понять, что произошло. Я хочу с ним поговорить. То, что случилось между нами, нельзя назвать разрывом, ведь он продолжал мне звонить и проявлять определенное внимание. Но и полноценными отношениями это назвать нельзя. Это... этому даже названия нет.

Михаил смотрел на нее внимательно, его темные глаза были спокойными и ласковыми, и Ольга снова вспомнила взгляд Гашина, у которого были такие же темные глаза и который смотрел так же ласково и внимательно. И на нее, на Ольгу, и на ту женщину, с которой она однажды увидела его, когда ехала вдоль леса в сторону шоссе. Может быть, напрасно она тогда напридумывала бог знает что? Возможно, эта женщина была просто знакомой, или коллегой по работе, или даже родственницей. А ведь она даже не знает, есть ли у Славомира родственники. И номера его мобильного телефона она не знает: когда Славомир ей звонил, на дисплее высвечивались слова «номер закрыт». Да, так сложилось с самого начала, Ольга дала ему свой телефон, а он ей — нет. Она практически ничего не знает о своем любовнике, и как ни неловко, но придется признаться в этом симпатичному темноглазому Михаилу.

— Он совсем о себе не рассказывал, все больше меня расспрашивал и очень внимательно слушал. Да, я знаю, какой кофе он любит, какое кино ему нравится, я знаю, как он принимает душ, но о том, как он жил, где, с кем, кто его родители, какие у него были жены, если они были, есть ли у него дети — ничего этого я не знаю.

— Почему же вы не спросили?

— Не знаю, — Ольга смущенно улыбнулась. — Вернее, знаю, конечно. По двум причинам. Во-первых, я стеснялась.

— Стеснялись? — удивился Михаил. — Чего?

— Видите ли, когда вам изначально говорят, что вы имеете дело с засекреченным ученым, то хороший тон не позволяет проявлять излишнее любопытство. Верно?

— Ну... в общем-то, да, — согласился частный детектив.

— Кроме того, у меня довольно большой опыт неудач в общении с мужчинами, и я точно знаю, что они не любят расспросов о своей семье, о женах и детях. Как только женщина интересуется, женат ли ее кавалер, у кавалера моментально возникают опасения, что у нее созрели матримониальные планы. Я на этом много раз спотыкалась, так что теперь таких ошибок не повторяю. Если мужчина мне нравится — то нравится, и не имеет никакого значения, какая у него на самом деле семья.

— Хорошо, а вторая причина?

— Вторая тоже более чем банальна. Славомир так живо, так искренне интересовался мной самой, моей жизнью, моими переживаниями, моими детскими воспоминаниями, что я не могла устоять перед соблазном рассказывать о себе. Знаете, Михаил, чужой интерес к твоей личности сродни наркотику: раз попробовав, уже невозможно остановиться, хочется испытать это еще и еще. Вот я задумалась над вашими вопросами, стала вспоминать все, что знаю о Славомире, и внезапно поняла, что, когда мы встречались, он совсем мало говорил, он только спрашивал и слушал, а я трещала без умолку. Вот так и получилось, что я не знаю о нем ничего, а он обо мне — все. Он удивительно хорошо слушал.

— Но все-таки что-то он, наверное, говорил, кроме вопросов, которые задавал вам, — недоверчиво сказал Михаил. — Он спрашивал, какие книги вы в детстве любили?

— Да, — удивленно ответила Ольга. — А откуда вы знаете?

— Просто угадал, — улыбнулся он.

— Неправда, вы не могли угадать, это слишком нетривиальный вопрос...

Она тут же вспомнила тот разговор о детских пристрастиях. А ведь Михаил прав, их со Славомиром разговоры состояли не только из одних ее монологов, откуда-то же ей известно, какое кино ему нравится и какие книги он любит. Кстати, о книгах...

— Я сейчас вспомнила один наш разговор. Однажды Славомир мне сказал: «Если бы я был писателем, я бы написал роман, а может быть, пьесу. Пьесу даже интереснее, наверное. Я бы написал про человека, одаренного от природы, хорошего, умного, талантливого, порядочного, у которого есть все, чтобы добиться успеха, но у него ничего не получается, хотя он старается и бьется изо всех сил. Он не понимает, почему у него не получается, и вдруг, уже смертельно больной, он узнает, что все его неудачи были организованы его врагами и недоброжелателями. У него потому ничего и не получалось, что они много лет специально ему мешали. Интересно, правда? Как ты думаешь, поставили бы такую пьесу? Имела бы она успех?»

— Занятно, — задумчиво проговорил Михаил. — И что вы ответили?

— Боже мой, Миша, ну как вы сами думаете, что я могла ответить, если Славомир мне нравился? Разумеется, я сказала, что это гениально и пьеса наверняка имела бы огромный успех.

— И вы в самом деле так считали?

— Конечно, нет. Идеи всеобщих заговоров мне не близки. И попытки искать виноватых вовне — тоже. И знаете, что еще я отметила? У Славомира очень хорошая речь, с длинными фразами, в которых не терялись подлежащие, сказуемые и определения, и он очень точно умел выражать свои мысли.

И снова всплыло воспоминание...

...Они сидели здесь, в этой самой комнате, после того, как встали с постели, и Гашин рассказывал ей о своих наблюдениях за взаимоотношениями Нины Сергеевны, которая работала у Крамаревых садовницей, и одного из охран-

185

ников на территории, Костика. Ольга тогда особенно ярко восприняла четкость и образность его формулировок, о чем не замедлила сообщить своему любимому. Славомир тогда рассмеялся и сказал:

— В век компьютерных технологий, мобильных телефонов и эсэмэсок у людей полностью утрачивается навык к красивой правильной устной речи, потому что утрачивается навык письма.

— А при чем тут письмо? — не поняла тогда Ольга.

— А ты думала о том, что в эпоху эпистолярного творчества люди и говорили иначе, не так, как сейчас? Пока напишешь фразу — десять раз ее обдумаешь, и если тебя занесет куда-то не туда, то надо придумать, как правильно ее закончить, чтобы ничего не вычеркивать и не переписывать все письмо с самого начала. Ведь письма были длинными, вспомни «Войну и мир». Да даже во времена моей юности еще писали очень длинные письма. А теперь, когда тексты пишут на компьютере, их легко в любой момент переделать, что-то вычеркнуть, что-то поменять местами, переписать, и никто уже не парится над точностью выражения мысли и складностью фразы. Ты обратила внимание, что сегодня можно легко определить человека, работающего с письменным словом, — он разговаривает иначе, не так, как большинство.

— Откуда же у тебя самого такая гладкая речь? — спросила Ольга. — Ты ведь все время работаешь на компьютере.

— Ну, милая, у меня за плечами долгая жизнь, большая часть которой прошла в докомпьютерную эпоху, и я привык пользоваться ручкой. Кстати, я по-прежнему много ею пользуюсь, не могу отделаться от этой привычки...

Михаил задавал еще множество вопросов, на которые Ольга добросовестно отвечала, понимая, что никакой пользы ее ответы не приносят. Она рассказывала о том, как он впервые появился в доме Крамаревых, такой загадочный, неразговорчивый, задумчивый и невозможно красивый, о том, как они познакомились, как начали встречаться, о том, что он уезжал на две недели, а после этого рядом с ним появились охранники, не отпускавшие Славомира от себя ни на шаг. Гашин тогда признался, что ездил проводить какие-то испытания в лаборатории, и теперь он готов закончить свою разработку, которая вошла в финальную стадию, поэтому его отныне усиленно охраняют. Ей было что вспомнить о Славомире Гашине, и воспоминания эти были болезненными и одновременно сладкими. Однако никакого света на возможные направления поисков Гашина они не проливали. Человек, которого она страстно любила, с которым много разговаривала, с которым спала, по которому страдала и которого не могла забыть, так и остался для нее закрытой книгой.

* * *

Завуч школы номер два города Руновска Наталья Олеговна оказалась моложавой, симпатичной, но невообразимо тучной. Двигалась она медленно и тяжело, но взгляд у нее был живым и заинтересованным. Узнав, какие сведения нужны московским гостям, она мгновенно помрачнела.

— Тяжелая была история, — сказала она. — Даже сейчас вспоминать больно, а уж тогда...

Она все отлично помнила, помнила в лицо и по именам и охранников обкомовских дач, и родителей погибших мальчиков.

— Разве такое можно забыть, — сказала она печально. — У меня все лица до сих пор перед глазами стоят, хотя столько лет прошло.

Настя добросовестно записала всю информацию, которую смогла выудить из Натальи Олеговны. Особенно ее интересовали свидетели происшествия, но свидетелей оказалось немного, только двое охранников.

— А на дачах в это время кто-нибудь отдыхал? — настойчиво спросила Настя. — Наверняка ведь эти люди тоже выбежали на берег и все видели.

— Там отдыхал директор какого-то крупного средмашевского завода, — вспомнила завуч. — Но он в больницу не приходил, так что, наверное, он ничего и не видел.

Настя Каменская отлично понимала, что за этим на самом деле стоит: Средмашем в советское время именовали закрытые предприятия оборонного значения, у них даже милиция была своя, отдельная, и прокуратура, и суды. За каждым сотрудником таких предприятий следили в три глаза, поэтому директора такого завода опекали плотно, в том числе и во время отдыха, и не абы какие охранники, а офицеры КГБ. Вот эти офицеры и выступили свидетелями по делу о несчастном случае с подростками. Надо бы найти этих свидетелей и поговорить с ними. А вдруг они тогда не все рассказали? Вдруг что-то знают? Смысла в этом, конечно, маловато, но надо же с чего-то начинать.

Фамилию директора завода Наталья Олеговна тоже вспомнила, и Настя ее на всякий случай записала, хотя какой уж такой случай может приключиться? Все равно он ничего не видел. А если и видел, то вряд ли вспомнит, лет-то ему уже должно быть совсем немало.

Ближе к вечеру позвонил Стасов и унылым голосом сообщил, что помочь Насте ничем не сумел: он нашел, хоть и с большим трудом, контакты в отделе внутренних дел Руновска, но, как и ожидалось, ему сказали, что отказные материалы четвертьвековой давности уничтожены в соответствии с приказом номер... И сотрудников милиции, которые двадцать шесть лет назад оформляли эти материалы, ему разыскать не удалось.

— Тогда я возвращаюсь, — решительно сказала Настя. — Мне тут больше делать нечего.

— И то верно. Возвращайся и начинай работать по новой, будешь искать родителей и свидетелей.

Настя и Чистяков взяли билеты на ближайший поезд до Москвы, быстро собрали немногочисленные пожитки, оставили ключи от квартиры соседке, как велела хозяйка, и еще целых полтора часа, сдав сумки в камеру хранения, гуляли по городу, чтобы надышаться свежим воздухом, прежде чем на сутки запереть себя в маленьком купе.

— А все-таки нам хорошо работать вместе, — задумчиво проговорила Настя, когда поезд тронулся и здание вокзала проплыло мимо окна. — Может, тебе бросить свою мудреную науку и пойти ко мне в напарники?

— Я подумаю, — пообещал Алексей. — Смотри-ка, этот Руновск на удивление маленький город.

Он улыбнулся и помахал кому-то через окно.

— Кому ты машешь?

— А вон там на скамейке сидит парочка, которую я видел в кинотеатре. Помнишь, я тебе говорил про неказистого мужичка и даму весомых достоинств? Они нас с тобой тоже тогда заметили, видно, приезжие здесь бросаются в глаза, и на них обращают внимание.

— Почему ты решил, что они нас заметили? — не поняла Настя.

— А мужичок встретился сейчас со мной глазами и улыбнулся. Знаешь, Аська, вот пустячок — а приятно. Вроде как в этом заштатном городишке у нас с тобой знакомые остались. Ну что, пойду очаровывать проводницу и узнавать, как тут дела обстоят с чаем и питанием.

Чистяков вышел из купе, а Настя растянулась на полке и снова стала думать о докторе Евтееве. Всего три недели назад она и знать его не знала, а теперь он занимает все ее мысли.

* * *

— Зачем ты ему улыбнулся? — кипятилась Линда Хасановна. — Теперь он тебя запомнил.

— Ну и что? — весело отозвался Петр. — Нам с ними больше не работать, они уехали. Закончили, видать, все свои дела. И мы с тобой свои дела закончили, пойдем покупать билеты до Южноморска.

— А вдруг они вернутся? Вдруг они не закончили? — не унималась Линда. — Откуда ты можешь знать? Они за все время, что пробыли в Руновске, к милиции даже близко не подошли, а должны были бы. Значит, они эту задачу оставили до следующего раза. Вот посмотришь, они вернутся, и нас с тобой снова зарядят следить за ними, и что мы будем делать, если тебя запомнили? Все-таки ты удивительно легкомысленное существо, Петруша.

Петр примирительно погладил подругу по руке, привычно задержав палец на крупном выпуклом камне ее золотого кольца. Это кольцо Петр сам выбирал в ювелирном магазине Новороссийска, где они с Линдой были на задании как раз в день ее рождения. Он до сих пор радовался, когда Линда надевала это кольцо. Ему было приятно.

— Они не вернутся. Они даже не ходили в милицию. Значит, они считают, что им там нечего делать, потому что и так все понятно. Пойдем к кассам, Линда Хасановна, а то скоро сочинский поезд прибудет, вот-вот народ за билетами набежит.

Поезд, на котором можно было добраться до Южноморска, проходил через Руновск поздно ночью, и Петр предложил посидеть в ресторане неподалеку от вокзала. Взяв в руки тоненькое меню, Линда начала причитать, что в нем нет ни одного блюда, которое она в рамках собственной диеты могла бы позволить себе съесть вечером.

— Прямо хоть с голоду помирай в этом Руновске, — пожаловалась она, протягивая меню Петру.

Тот быстро просмотрел список блюд и сразу определился:

— Я буду есть жаркое «Вечерний Руновск» и салат «Баварский».

Линда схватилась за голову:

— Ты с ума сошел! Жаркое — это же мясо с картошкой, это жирное и калорийное, а у тебя высокий холестерин. А «Баварский» салат — это для тебя просто смерть, это отварная картошка со свиными сосисками. Ты потом до утра не уснешь. Нет, Петенька, я не разрешаю. Я видела в меню какую-то рыбку с овощами, вот ее можешь съесть.

— Но я не люблю рыбу с овощами, я хочу мяса с картошкой. — Петр смотрел на нее, не скрывая улыбки, и в глазах его плескалось неприкрытое хулиганство. — И картошку с сосисками хочу. И потом еще чай с тортом. И, знаешь, любимая, если ты мне не разрешишь, то придется вспомнить о политической ситуации в мире и о том, как много народов все еще нуждается в свободе от диктатуры.

— Ну Петя! — жалобно проговорила Линда. — Ну что же ты как маленький, ей-богу! Я ведь для тебя стараюсь, я твое здоровье берегу. А ты меня терроризируешь. Пожалуйста, ешь что хочешь, только потом не жалуйся. И про то, чтобы ты вовремя принимал лекарство от холестерина, я тебе тоже больше напоминать не буду. Живи, как считаешь нужным.

Петр рассмеялся и бросил меню на стол.

— Ладно, не обижайся, съем я рыбу с овощами, чтобы твоя душенька была спокойна. Только мое нежное пристрастие к твоим пышным формам заставляет меня мириться с твоим невыносимым характером. И как я столько лет это терплю?

— Между прочим, — оживилась Линда Хасановна, — эти-то, московские, уже тридцать пять лет вместе. Представляешь?

— Не может быть!

— Да чтоб я пропала. Я собственными ушами слышала, как они это обсуждали. Только представь, какие у них обоих должны быть характеры, чтобы столько лет провести бок о бок и не разбежаться, не надоесть друг другу, не озлобиться и не рассориться. Знаешь, я эту бабешку даже зауважала. Может, она и ничего, если такой шикарный мужчина с ней тридцать пять лет прожил и не бросил ее. Ты представляешь, какая она старая? Тридцать пять лет, Петруша, это же вся твоя жизнь. Ты только родился, а они уже были знакомы и крутили роман.

— Можно подумать, она старая, а он — нет, — фыркнул Петр. — Они оба еще вполне ничего. Он тебе вон как понравился, у тебя аж глаз загорелся.

Они сделали заказ подошедшему официанту, из которого Линда Хасановна вынула всю душу, допытываясь, из каких ингредиентов приготовлены те или иные блюда, и выбирая, что ей можно съесть.

— Все-таки жаль, что эта работа закончилась, — вздохнула она, когда официант наконец отошел от их столика.

— Все грустишь по своему красавцу Чистякову? — поддел ее Петр.

— Да разве в этом дело! — махнула рукой Линда. — Просто эта работа была хорошая, на редкость комфортная. Люди на машине почти не ездили, в основном пешком ходили, и мы с тобой благодаря этому много времени проводили на свежем воздухе, гуляли, в кафе сидели, в кино сходили, даже в дельфинарий съездили. Когда мы с тобой там были-то?

— В дельфинарии? — Петр наморщил лоб, вспоминая. — Мы с тобой твоего парня туда возили, это было... это было...

— Лет восемь назад, — подсказала Линда. — С этими москвичами мы с тобой хотя бы нормальную жизнь вспомнили. По подвалам не лазили, по стройкам не шастали, по ночным шоссе на машине не гоняли, а просто жили, как живут тысячи добропорядочных людей. Послушай, Петруша, а может быть, нам с тобой бросить нашу работу к чертовой матери и именно так и жить? Чем плохо?

— Да, хорошо бы, — согласился Петр. — Только на что жить-то? А тут хоть хорошие деньги платят. Мы с тобой больше ничего не умеем, чем еще мы можем на жизнь заработать?

Они грустно посмотрели друг на друга, и их обоих охватила внезапная нежность. Они так и сидели, взявшись за руки, пока официант не принес их заказ.

Глава 13

Е динокровный брат Насти Каменской
Александр, разобравшись со своими бес-
численными переговорами и неотложны-
ми поездками, назначил празднование их общего юбилея свадьбы на субботу, 22 мая. Настя и
Саша долго рядились по поводу того, кого приглашать, и в конце концов сошлись на том, что
поскольку праздник общий, то пригласить следует только их общих знакомых. Очень быстро,
правда, выяснилось, что все эти общие знакомые — Настины коллеги, а вот коллег и друзей
Александра Каменского не нашлось ни одного.

— Саня, но это как-то неправильно, — огорчилась Настя. — Получается, что это будет мой
праздник, с моими друзьями. А как же ты?

— Нормально, — успокоил ее Александр. —
Я с твоими ребятами не один пуд соли съел, так
что они мне как родные.

Собраться решили в загородном ресторане. Настя с Алексеем приехали первыми, Настя специально попросила мужа выехать из дому пораньше, чтобы успеть пошептаться с женой брата Дашенькой «о девичьем». Даша была профессиональным стилистом, и Насте хотелось выслушать ее мнение о платье, сшитом Тамарой Виноградовой, которое сегодня наконец представился подходящий случай надеть: в Южноморске дело до него так и не дошло. Но пошептаться не удалось: сразу же вслед за ними появились Стасов с Татьяной и сыном Гришей и Миша Доценко с Ирочкой и маленькой дочкой. Сразу стало шумно, огромный, широкоплечий Стасов занял собой все пространство, а сын Александра и Даши, Саня-младший, тут же затеял шумную возню с Гришей и малышкой. Он был всего на два года старше Гриши — когда его родители поженились, Даша была уже на сносях — и считал сына Стасова более чем подходящей компанией для демонстрации шумовых эффектов в играх на недавно полученном в подарок компьютере, который Саня притащил с собой. Пятилетняя дочка Миши Доценко пришла от этих шумов в полный восторг и без конца требовала повторения, более того, она пыталась их копировать, причем в усиленном варианте.

Потом приехал Настин бывший начальник Гордеев, за ним подтянулись Коля Селуянов и

Юра Коротков с женами. Сели за длинный стол, уставленный закусками и деликатесами, но, поскольку все почему-то оказались ужасно голодными, собственно застолье продлилось недолго. Гордеев, как самый старший из гостей, произнес тост, и все набросились на еду, а уже минут через сорок оказалось, что желудки набиты и хочется подвигаться и пообщаться. Настя попыталась все-таки добраться до Даши, но ее перехватил Коля Селуянов.

— Настюха, тебе знаешь от кого привет? От Хана.

— От Алекперова? — удивилась она. — Неужели он меня еще помнит?

— Ну, ты же его не забыла, — усмехнулся Николай. — Почему он должен тебя не помнить?

— А где ты его встретил? В министерстве?

— Ну да, щас! — хмыкнул он. — Хан сам ко мне явился, его одно наше дело интересовало. Да дело-то — тьфу! Слова доброго не стоит. Ладно бы еще что-то интересное, загадочное, или труп какой-нибудь сиятельный, или еще что. А то — обыкновенный гастарбайтер, работяга из Твери, который в Москве квартиры ремонтировал. Небось напился, подрался, словом, ничего выдающегося. Это у вас все интересненькое, а у нас одна скука.

— Но зачем-то же Хан им интересовался, — заметила Настя. — Алекперов много лет специализируется на организованных группировках, значит, с этим твоим гастарбайтером не так все просто и скучно.

— Умная, да? — Селуянов укоризненно покачал головой. — А я, стало быть, тупой и сам не догадался. Да мои ребята всю подноготную этого тверского парня проверили, по месту жительства всех перетрясли, и сожительницу его, и соседей, и бывших коллег по работе, и друзей-приятелей. И ничего не нарыли. А организованными группировками там вообще не пахнет.

— Ну ладно, извини, не обижайся, — сказала Настя. — Спасибо за приятное известие: когда о тебе помнят профессионалы такого класса, как Хан, это всегда радует.

Она хотела кое о чем спросить Николая, но ее потянул за руку Миша Доценко:

— Каменская, пошли Стасова зацепим.

— Зачем?

— Поговорить надо.

— Тебе рабочего времени мало? — нахмурилась она.

— Так вас фиг одновременно в офисе застанешь, ты все в разъездах каких-то, шеф в кабинете вопросы решает, а мне надо посоветоваться.

— Ну пошли, — со вздохом согласилась Настя.

Они не без труда вырвали Стасова из общества Сани-младшего и Гриши, которые иссту-

пленно требовали, чтобы Владислав Николаевич немедленно и прямо здесь же показал им
«приемчики», при помощи которых мальчики
будут с успехом отбиваться от хулиганов.

— Влад, я расскажу, а Каменская пусть по-
слушает, — заявил Миша.

— Ну, Каменская пусть и слушает, а я при
чем? — попытался отмахнуться Стасов. —
Мне-то зачем слушать?

— Как ты есть мой начальник, ты должен
принять отчет. Вот и прими заодно, чтобы мне
два раза не рассказывать. Это насчет заказа Евтеевой.

О том, что Валентина Евтеева заказала поиски своего любовника, Настя уже знала, но подробности ей были неизвестны. В общем-то, это
было не очень интересно, поскольку к тайне
убийства доктора Евтеева отношения не имело,
но ведь Мишка просит послушать... Неудобно
отказывать.

Однако рассказ Доценко о его визите к учи-
тельнице арабского языка показался Насте лю-
бопытным. Особенно ее удивила история о книге, которую хотел бы написать химик Гашин.
Откуда у успешного, знаменитого ученого такие
мысли, которые больше присущи неудачникам,
пытающимся найти внешние причины, объ-
ясняющие бесплодность их попыток добиться
успеха? Было бы понятно, если бы такую книгу

задумал человек несостоявшийся, не нашедший своего пути, ничего не добившийся, а тут...

— Вот смотрите, что получается в сухом остатке, — говорил между тем Доценко. — Человек крайне скрытный — это раз. Человек, живо интересующийся личностью собеседника, — это два. Причем интересующийся по одной и той же схеме, он даже вопросы задавал одинаковые и Валентине, и Ольге, — это три. Человек, подверженный мыслям о несостоятельности и причинах неудач, — это четыре. А теперь надо из этих четырех составляющих слепить крепкий психологический портрет.

— Ты забыл еще одну деталь. Он прекращает отношения со своими женщинами без всяких объяснений, так, что они даже не понимают, их бросили или что, — напомнила Настя.

— Спасибо, подсказала. Значит, из пяти составляющих. Лично у меня пока не получилось. И я обращаюсь к вам как к более опытным...

— И более старым, — снова подсказала Настя, дергая Доценко за прядь волос.

— ...товарищам, — упорно продолжал Михаил. — Я обращаюсь к вам за консультацией. И не смей меня сбивать, — добавил он, схватив из вазы с фруктами мандарин и засовывая его в вырез Настиного платья.

Настя с хохотом достала мандарин и принялась чистить его. Разделив очищенный плод на три равные части, она сунула дольки в рот Стасову, Доценко и себе.

— Мишка, сюда еще надо прибавить, что твой Гашин — успешный ученый, много чего добившийся в жизни, — проговорила она с набитым ртом. — Это шестой элемент к твоему портрету.

— Но ты обещаешь подумать? — с надеждой спросил Михаил.

— Подумать обещаю. Но результат не гарантирую. Из меня психолог — как из тебя гуттаперчевый мальчик.

— Зато ты анализировать умеешь. Влад, а ты что скажешь?

— Ничего, — помотал головой Стасов. — Фигня какая-то получается. Этот ученый, видно, творческая личность, а с творческими личностями никогда ничего не понятно, это я как бывший начальник службы безопасности киноконцерна утверждаю с полной ответственностью. Настя, помнишь дело, на котором мы с тобой познакомились?

— Помню, — кивнула она. — Убийство актрисы. Я тогда все удивлялась, какой же у вас там гадючник.

— Вот именно, — поддакнул Владислав. — А не выпить ли нам, друзья мои?

Настя перехватила его руку, потянувшуюся к бокалу.

— Погоди, Владик. Раз уж у нас зашел разговор о психологических портретах, я тоже поделюсь своими сомнениями, может, вы коллективно что-нибудь подскажете. Вот смотрите: есть доктор Евтеев, который за три года до смерти заболевает, перестает работать, два года лежит дома, потом его убивают. Корыстный мотив не выявлен ни в каком виде. Если предположить, что это месть, то надо иметь в виду, что в течение последних трех лет он никому ничего сделать не мог. То есть повод для мести, если он вообще был, сформировался не меньше чем за три года до убийства. А вероятнее всего, временной интервал еще больше, я даже подозреваю, что лет двадцать пять. Нарисуйте мне портрет человека, способного на отставленную месть.

— На это способен не каждый, — тут же отозвался Доценко. — Очень многие могут сразу, по горячим следам, бежать восстанавливать справедливость, но через несколько лет, когда страсти улеглись, на это пойдет мало кто.

— Тюрьма? — предположил Стасов. — Человек отсидел большой срок, потом вышел и разобрался с тем, кого считает виноватым в своих несчастьях.

— Годится, — кивнула Настя. — Я об этом тоже думала. А кто еще может?

— Еще это может быть человек, вернувшийся из зоны боевых действий, — подал идею Михаил. — Тут два обстоятельства. Во-первых, он долго отсутствовал. И во-вторых, он там, на войне, привык жить и действовать на адреналине, а мирная жизнь кажется ему болотом, он не может себя найти, не может приспособиться. И тогда месть даже по незначительному и очень давнему поводу становится для него единственно возможным способом существования.

Настя покачала головой:

— Больно мудрено. Ты уверен, что такой механизм реален?

— А черт его знает, — задумчиво сказал Доценко. — Может, и нет. Но я таких людей встречал.

Стасов все-таки прекратил дискуссию на служебные темы.

— Нет, ребята, вы как хотите, а я должен немедленно выпить. У нас праздник или производственное совещание?

Он взял руководство процессом празднования на себя, его громовой голос был слышен в каждом уголке зала, и вскоре все гости снова сидели за столом.

Когда поздним вечером разъезжались по домам, Настя искренне считала, что годовщина свадеб удалась. Все было очень вкусно, и всем было очень весело.

— Готовься, сестренка, в середине июня будем пропивать твой юбилей, — сказал ей на прощание Александр Каменский. — Хочешь, устроим его здесь же? Здесь очень неплохо, правда?

Мысль о предстоящем дне рождения чуть было не отравила Насте все ее хорошее настроение. Она любила свой праздник только в том смысле, что любила получать поздравления и подарки. А вот собирать гостей и заниматься организационными вопросами, с этим связанными, не любила совсем.

— А увильнуть никак не получится? — робко спросила она.

— Нет, — твердо ответил Александр, — и не мечтай. Если ты не хочешь суетиться, я все возьму на себя, это будет мой тебе подарок.

— Тогда ладно, — с улыбкой согласилась она.

Еще с утра они договорились с Чистяковым, что Алексей сможет позволить себе выпить, а она воздержится и поведет машину. Сидя за рулем, Настя ругала себя за то, что согласилась: ей хотелось закрыть глаза и подумать, а вместо этого приходится следить за дорожной обстановкой и ловко лавировать между водителями, которые ведут свои машины более чем странно и совершенно непредсказуемо. Ей удавалось заняться собственными мыслями только на более или менее спокойных участках трассы.

Все-таки странно, что человек с характеристиками Гашина задумывает такую книгу про неудачника. Про человека, которому всю жизнь умышленно мешали и всячески вредили. Надо бы поговорить с женой Стасова Татьяной, она как-никак писатель...

* * *

Ключи лежали на самом виду, и Ангелина Михайловна не могла отвести от них глаз. Руки задрожали, стало жарко, и даже голова немного закружилась. Славик давно уже это придумал, но все не представлялось случая воплотить его план в жизнь. Ангелина Михайловна все время помнила об этих ключах, но ей казалось, что план так и останется планом, потому что у нее недостанет сил и наглости его реализовать. И вот ключи лежат прямо перед ней, а рядом — никого. Лев Сергеевич ушел в спальню переодеваться, а Людмилы Леонидовны и вовсе нет дома — сегодня, в субботу, она повела старших внуков в Бахрушинский музей, и, разумеется, как и повелось с недавних пор, Вилен Викторович их сопровождает. А кому же еще с ними идти, как не завзятому театралу Вилену? Ангелина же Михайловна пришла к Гусарову, чтобы накормить его обедом, это тоже за последний месяц стало добрососедской традицией, за что Людмила Леонидовна была Сорокиной искренне благодарна.

После обеда Лев Сергеевич должен был отправиться к рефлексотерапевту на очередной сеанс иглоукалывания. Он пошел одеваться, а Ангелина Михайловна стала уносить из комнаты грязную посуду и вот наткнулась в прихожей на связку ключей от соседской квартиры. Преодолев слабость и испуг, она воровато оглянулась и сунула ключи в карман брюк. Связка была внушительной — два ключа от внешней двери, один от внутренней, чип от двери подъезда, да в придачу ключ от гаража Гусаровых, и еще один совсем маленький ключик от почтового ящика. Карман предательски оттопырился, но Ангелина Михайловна прикрыла его длинной полой тонкой трикотажной туники. Вот и все. И ничего не видно. И никто ни о чем не догадается.

Она ринулась на кухню, включила воду и принялась мыть посуду, стараясь всем своим видом показать, что все время находилась только здесь.

— Ну, я готов, — раздался голос Гусарова. — Хотя, была бы моя воля, не ходил бы я на эти иголки. В третий раз курс прохожу, а толку никакого, как хромал — так и хромаю, ну, может, нога чуть меньше болит, но это «чуть» мне слишком дорого обходится: хожу как дурак каждый день, вместо того чтобы сидеть дома и наслаждаться жизнью.

— Так не ходите, — сказала Ангелина, ставя тарелку в сушилку для посуды. — Кто вас может заставить?

— Да перед Люсей неудобно, она так старалась для меня этого китайца найти: и чтобы специалист был хороший, с репутацией, и чтобы от нашего дома близко. Она так радовалась, когда его нашла! И всего через два дома от нас. Почему-то она очень верит во все эти иголки и прочие новомодные глупости. Вот и хожу.

Он надел ботинки в прихожей, натянул куртку, окинул глазами поверхность полочки для ключей, похлопал себя по карманам и поморщился.

— Черт, где же ключи? Куда я их сунул?

Ангелина Михайловна проявила сочувствие и принялась вместе с хозяином искать ключи, советуя ему посмотреть то там, то тут. Но ключей нигде не было.

— Я уже опаздываю, — с паникой в голосе произнес Гусаров. — Куда же ключи могли деться? Если я сейчас уйду, как я потом домой попаду? И не идти нельзя, завтра воскресенье, врач не работает, и у меня получится перерыв в два дня, а он говорит, что это плохо, эффекта может не быть. Люська расстроится! Что же делать, Ангелина Михайловна?

— А давайте я у вас посижу, пока вам будут иголки ставить, — предложила Ангелина. — Вили все равно дома нет, никто меня не ждет. Я у вас побуду и вам открою, когда вы вернетесь. А потом мы снова вместе ваши ключи поищем, уже без спешки и без суеты.

— Вы — ангел! — радостно воскликнул Лев Сергеевич и от полноты чувств чмокнул соседку в макушку — он был намного выше ростом. — Так я пошел?

— Идите, голубчик, идите.

Сорокина закрыла за ним дверь и облегченно вздохнула. Кто сказал, что актерский хлеб легок и приятен? Да с тебя семь потов сойдет, пока будешь изображать то, чего на самом деле не думаешь и не чувствуешь.

Оставшись в одиночестве в соседской квартире, Ангелина Михайловна принялась аккуратно и методично обыскивать все более или менее подходящие места, в которых мог бы храниться небольшой предмет — либо видеокассета, либо кассета магнитофонная, либо записная книжка, либо блокнот, либо конверт с фотографиями. Больше ничего ей на ум не приходило, да и Максим со Славиком ни о чем другом не говорили. Сколько у нее времени? Они с Виленом заранее нашли тот дом, где располагался кабинет китайского доктора, и несколько раз прошли до него от своего дома быстрым шагом, засекая время. Если быстро, то получалось семь минут, но учитывая, что Лев Сергеевич сильно хромает, клади все десять. Пока разденешься, пока врач поставит иголки, потом пока снимет, потом нужно одеться — еще в общей сложности минут пять, это минимум. Да собственно сеанс — полчаса.

И обратный путь до дома. По самым скромным подсчетам выходило, что в распоряжении Ангелины Михайловны имелось пятьдесят пять минут, хотя на самом деле, конечно, больше, где-то час десять — час пятнадцать. Это немало, но у Гусаровых трехкомнатная квартира, и ей наверняка не успеть...

Она резво взялась за дело, самым тщательным образом обследуя книжные полки и ящики комода и мебельной стенки, особое внимание уделила той части стеллажа, где хранились альбомы с фотографиями и папки со всякой памятной ерундой: школьными дневниками детей, их грамотами за успехи в учебе и спорте, грамотами самих супругов Гусаровых, какими-то письмами и открытками.

Ровно через пятьдесят пять минут осторожная Ангелина Михайловна положила ключи Гусарова на пол в углу прихожей, чтобы потом радостно их найти, включила телевизор и уселась на диван. Она ничего не нашла. У них опять не получилось...

* * *

Двенадцатилетний сын Стасова и Татьяны Гриша был точной, но слегка уменьшенной копией отца — такой же светловолосый, зеленоглазый, широкоплечий и непомерно высокий для своих лет. Он обладал поистине недетской пытливостью ума, а еще — непонятно откуда взявшейся и от кого унаследованной прямотой. И оперативник Владислав Стасов, и его жена Татьяна Образцова, бывший следователь, изрядно поднаторели в ловких ухищрениях и элегантной лжи, а вот их сын рубил прямо в глаза то, что думал, нимало не озадачиваясь такими понятиями, как тактичность и деликатность.

В воскресенье, на следующий день после празднования двух свадебных годовщин, к Татьяне в гости пришла Настя Каменская, и Григорий моментально нарисовался рядом, уселся в той же комнате и даже не стал делать вид, что играет на компьютере. Уши его превратились в два огромных локатора.

— Сынок, пойди к себе, займись чем-нибудь, — ласково сказала Татьяна.

— Нет, я хочу с вами посидеть. Мне интересно, о чем вы с тетей Настей будете разговаривать, — с завидной честностью ответил подросток.

— Но у нас взрослые разговоры, — возразила Татьяна. — Тебе незачем их слушать.

— Что, секретные? — прищурился Гриша.

— Ну, считай, что секретные.

— Про любовников?

Татьяна расхохоталась, а Настя от изумления дар речи потеряла.

— Про каких любовников, сынок? У меня их нет, у тети Насти тоже.

— Значит, не про ваших, а про чужих, — вполне логично заключил Гриша. — Но если про чужих, то какой же это секрет? Про чужих мне тоже можно послушать.

Настя наконец обрела дар речи:

— Гришка, неужели тебе интересно про это слушать?

— Мне про все из взрослой жизни интересно, — очень серьезно ответил он. — Я хочу научиться вас понимать, чтобы наладить с вами контакт. Взрослые нас понимать не умеют или не хотят, и если я сам не сделаю шаг вам навстречу, то взаимопонимания никогда не получится.

Настя недоверчиво посмотрела сначала на мальчика, потом на его мать, которая изо всех сил сдерживалась, чтобы снова не рассмеяться.

— Тань, это кто? — спросила она, показывая рукой на Гришу. — Это твой сын? Или доктор психологических наук? Ты как его воспитываешь, что у него в голове бродят подобные мысли?

— Настюша, если бы я его воспитывала в полную силу, он был бы совсем не таким. Его книги воспитывают, он их целыми днями читает с раннего детства. Вот как я его в три года читать научила, так он от них и не отрывается, читает все подряд, что на стеллаже находит — то и тащит, а я уследить не могу. Когда я вышла в отставку и стала сидеть дома, было уже поздно, он уже начитался. Гриша, сынок, ну правда, дай нам с тетей Настей поговорить. Даю слово, это не про любовников, ни про наших, ни про чужих.

— Тогда тем более не из чего делать секрет, — упрямо возразил парнишка. — Тетя Настя, вы не возражаете, если я с вами посижу и послушаю?

Насте стало его жалко. В конце концов, у нее к Татьяне дело действительно совершенно не секретное.

— Посиди, если уж так хочется. Правда, Таня, пусть он посидит, может, ему полезно будет.

Татьяна сделала строгое лицо и сдвинула брови.

— Хорошо, я разрешаю тебе остаться, но за это ты сейчас пойдешь на кухню, включишь кофемашину и нальешь нам с тетей Настей по чашке кофе. Мне — мягкий, тете Насте — нормальный. Разберешься с кнопками?

— Разберусь! — радостно подхватился Гриша. — Только вы без меня не начинайте, а то я потом не пойму ничего.

— Ужас, — улыбнулась Татьяна, когда сын выбежал из комнаты. — Вот так и живем. Ребенок искренне полагает, что человек должен жить по английской поговорке, то есть так, чтобы не стыдно было подарить своего попугая самой большой сплетнице города. Он не понимает, какие у взрослых могут быть секреты от детей, если эти взрослые не делают ничего противозаконного. И объяснить мне ему ничего не удается, он или обижается, или считает, что его обманывают.

Гриша на удивление быстро справился с кухонной техникой и принес две чашки кофе, нормальной крепости для Насти и послабее — для матери. Для себя он притащил плитку черного шоколада с орехами и тут же принялся его грызть, откусывая прямо от большого куска.

— Танюша, скажи мне, ты проецируешься в своих книгах? — начала Настя и тут же мысленно сделала себе замечание: надо было сформулировать вопрос попроще, потому что сейчас Гришка встрянет и начнет требовать объяснений непонятного термина.

Но Гриша, как ни странно, промолчал, из чего Настя сделала вывод, что он знает, что такое «проецироваться» применительно к психологии. Ну и ребенок!

Татьяну вопрос совершенно не смутил.

— Конечно! — сразу же ответила она. — И все писатели проецируются, потому что пишут о том, что лично им интересно. А интерес — это и есть проекция устойчивых индивидуально-личностных особенностей.

И снова Настя замерла в ожидании вопроса, однако Гриша по-прежнему молча грыз шоколад, внимательно слушал и ничего не спрашивал.

— Ты вот моих книг не читаешь, — продолжала Татьяна, — а ведь в них вся моя жизнь: и первый муж, и первый развод, второй муж и второй развод, и юношеская влюбленность, и Стасов, и то, как я выстраивала отношения с его дочерью, и моя беременность, и материнство, и работа. Только надо понимать, что я не факты описываю, а мысли, переживания, опыт.

При этих словах Гриша встал, подошел к книжному шкафу и начал перебирать стоящие на полках книги, написанные Татьяной.

— Что ты там ищешь, сынок? — спросила она.

— Мам, а в какой книге написано про то, как я был маленький? А то я с четырех лет себя помню, а что было до этого — не помню. Я бы почитал. Это в какой книжке?

Татьяна растерялась, и было непонятно, то ли она старается вспомнить, то ли пытается сообразить, как увернуться от прямого ответа.

— А про то, как вы с папой меня ждали, пока я еще не родился, есть где-нибудь? А про то, как ты была беременная и я у тебя в животе рос, есть? Я хочу почитать.

— Зачем тебе это? — изумилась Татьяна.

— Мне интересно. Вы же, взрослые, никогда нам правды не говорите, вы нас все время обманываете. А вдруг ты меня не хотела? А вдруг вы с папой меня не любили совсем?

Татьяна бросилась к сыну, обняла его, нежно поцеловала несколько раз в щеки и лоб.

— Да как же, Гришенька, — заговорила она, и в ее голосе явственно слышались слезы, — как же мы с папой могли тебя не хотеть? Как мы могли тебя не любить? Что ты такое говоришь?

Гриша высвободился из материнских объятий и снова потянулся к книгам.

— А что такого? Не все женщины хотят детей, это всем известно. Вон тетя Настя не хотела же ребенка — вот и не родила.

— Гриша, я — другой случай, — промямлила Настя, которой от этих слов стало не по себе.

— Ну, пусть другой. Все равно. Есть женщины, которые не хотят детей, но все равно рожают, потому что поздно уже аборт делать, или еще почему-нибудь, например, чтобы муж не бросил. А что, не так?

Настя места себе не находила от смущения, она никак не готова была услышать из уст мальчика слово «аборт» и рассуждения о том, что рожают, чтобы муж не бросил. Ну и как на это реагировать? Разговаривать с ним как с равным? Или пойти привычным путем, которым всегда идут взрослые, когда не хотят что-то обсуждать с детьми? Нет, это, пожалуй, не выход.

Но Татьяна, судя по ее виду, не была ни смущена, ни шокирована. Вероятно, такой уровень дискуссии давно стал в ее семье привычным и никого не удивлял.

— Откуда такие мысли, сыночек? — спокойно спросила она.

— Так из книжек же, мама! Между прочим, из твоих же. Я, в отличие от тети Насти, их все прочитал.

— Господи, — невольно вырвалось у Насти, — да что ты в них мог понять?

Гриша кинул на нее взгляд, в котором было бесконечное терпение и, как ей показалось, снисходительность.

— Ну вот, я же говорю, вы, взрослые, нас вообще за людей не считаете, потому и врете нам, и думаете, что мы совсем недоумки и ничего не понимаем. А мы не глупее вас, между прочим. Мам, — он снял с полки четыре книги, — я помню, беременные у тебя есть вот в этих книгах. Которая из них про меня?

И, только выбив из матери название романа, он наконец унялся, взял книгу и углубился в чтение. Но в свою комнату так и не ушел, оставшись рядом с Настей и Татьяной.

— Настюша, вернемся к нашим баранам. Ты почему задала свой вопрос?

— Понимаешь, есть некий человек...

Настя постаралась как можно компактнее изложить все, что накануне рассказал Миша Доценко. Татьяна слушала, то и дело поглядывая на склонившегося над книгой сына.

— Ничего нового я тебе не скажу, — произнесла она, когда Настя закончила. — Ты сама все уже сформулировала. Как автор большого количества книг, могу только заметить, что первая книга и не первая книга — это принципиальная разница. А единственная книга — тем более.

— Разница в чем?

— В степени болезненности проблемы. Когда автор написал много книг и ему нужно написать еще одну, он примерно прикидывает, про что он еще не написал, и из всего обилия не охваченных им тем выбирает ту, которая ему более или менее интересна в этот момент. Или если не интересна, то хотя бы наименее противна. А в твоем случае человек вообще не автор, не писатель, а ученый-химик, к тому же, как ты утверждаешь, вполне успешный. И если он задумывается о том, что хотел бы написать книгу на определенную тему, это означает только одно: эта тема его гложет день и ночь, дышать не дает, занимает все его мысли.

— И что получается? — спросила Настя, которую охватило волнение, то самое привычное волнение, которое она частенько испытывала, когда работала на Петровке.

Оно всегда появлялось, когда рядом брезжила неожиданная догадка.

— Получается то, что ты и подумала, — усмехнулась Татьяна. — Либо такая ситуация случилась с его близким другом или родственником и не дает ему покоя, либо он не настолько успешен, как ты думаешь. Либо...

— Либо он вообще не тот, за кого себя выдает, — закончила Настя. — Таня, ты рано вышла в отставку. Тебе бы еще работать и работать.

— Могу себе представить, что получилось бы из Гришки, если бы я его до сих пор оставляла наедине с книгами, — рассмеялась Татьяна. — Я хотя бы в последние несколько лет занимаюсь ребенком, а так вообще рос бы как сорная трава.

При этих словах Гриша поднял голову от книги и с упреком посмотрел на мать.

— Я все слышу, между прочим.

И со вздохом добавил:

— Если бы я решил написать книгу, я бы написал про то, что взрослые не просто нас не понимают, они не хотят нас понимать, потому что думают, что мы примитивные. А это порочное заблуждение.

Настя подавила рвущийся наружу смех и подумала, что словарный запас у мальчика, которому только через пару месяцев исполнится тринадцать, достаточно богат.

* * *

В понедельник утром в кабинет Владислава Стасова зашел Доценко с пластиковым файлом в руке.

— Влад, можешь меня резать на куски, но я уже из-под себя выпрыгнул в поисках этого Гашина и ничего больше сделать не могу, — заявил Михаил, положив файл перед своим шефом. — Я перерыл весь Интернет, залез во все базы, какие только смог вскрыть, но нашел одного-единственного Гашина Славомира Ильича, более или менее подходящего по возрасту.

Стасов ободряюще посмотрел на него.

— Ну так отлично! Если он единственный, то, значит, это он и есть. А адрес его нашел?

— Если бы... Короче, тот Гашин, которого мне удалось найти, никакой не ученый и не химик, а театральный критик и драматург из Перми. Так что я сильно подозреваю, что он все-таки не тот.

— Фотография есть? — спросил Стасов.

— Там, в файле, можешь посмотреть.

Стасов вытащил несколько распечатанных страниц, мельком просмотрел их, хмыкнул и уткнулся глазами в фотографию.

— Хорош, подлец, — заметил он. — Красавчик. Пожалуй, Евтеева могла в такого влюбиться без памяти. А ну-ка я сейчас ей позвоню и попрошу приехать взглянуть на фотографию.

Он позвонил Валентине, которая согласилась немедленно приехать. Через два часа она вошла в его кабинет, бледная и напряженная.

— Откуда у вас его фотография? — спросила она прямо с порога, даже не поздоровавшись. — С ним случилось несчастье? Он умер? Погиб?

— Боже мой, Валентина Дмитриевна, с чего такие страшные мысли? — бросился успокаивать ее Стасов. — Почему непременно несчастье? Почему сразу «погиб»?

— Я всю дорогу думала, откуда у вас фотография, и решила, что из уголовного дела, потому что Славомир... потому что его больше нет. Откуда еще ей взяться? — дрожащим голосом пояснила Евтеева.

— Да все совсем не так, — улыбнулся Стасов. — Нет никакого уголовного дела. А есть человек по имени Славомир Ильич Гашин, но мы с Михаилом не знаем, это тот, кого вы разыскиваете, или просто однофамилец. Поэтому мы хотим предъявить вам фотографию. Вот, посмотрите.

Владислав протянул ей листок с распечатанной фотографией, и лицо Валентины моментально вспыхнуло.

— Да, это он. Вы его нашли? Вы знаете, где он сейчас?

Стасов развел руками:

— К сожалению, пока нет. Но если это он, то мы его найдем, я вам обещаю.

— Когда?

Теперь голос Евтеевой больше не дрожал, и в нем появились требовательные начальственные нотки.

— Как сможем. Но мы будем очень стараться.

Когда Валентина ушла, Стасов вызвал к себе Доценко.

— Она его опознала, — сообщил он. — Ну и какие выводы мы можем сделать? Наш ученый оказался театральным деятелем. Это как?

— Ну, то, что он представился жутко секретным ученым, — это вполне объяснимо, — сказал Доценко. — Хотел выглядеть в глазах Валентины и Ольги поинтереснее.

— А что, драматург и театральный критик нынче не котируется? — недоверчиво спросил Стасов. — По-моему, очень даже престижный вид деятельности, творческий, интересный.

— Но почему он ходил с охраной? — задумчиво проговорил Михаил. — Какого рожна охранять драматурга? Ученого-химика — это я еще понимаю, особенно если он секретный, связан с оборонкой, а драматург-то кому нужен?

— А ты уверен, что охрана была? Может, Валентине показалось?

— Да нет, — пожал плечами Миша, — Ольга тоже про охрану говорила. Не могут же у них быть коллективные галлюцинации.

— Слушай, — внезапно оживился Стасов, — а не мог этот Гашин Крамареву тоже мозги заполоскать? Мол, он такой секретный ученый, у него такие разработки, и его надо охранять.

— Мог, — согласился Доценко. — Только зачем? В чем фишка? И почему хозяин дома Максим Крамарев, когда к нему приезжала та пожилая пара, про которую рассказывали и Валентина, и Ольга, закрывался вместе с ними и Гашиным и вел какие-то секретные переговоры? Евтеева рассказывала, что когда они собирались на свои таинственные совещания, то даже прислуге не разрешали им напитки и закуски подавать, чтобы те ненароком чего не подслушали.

Стасов поскреб пальцами висок и наморщил нос.

— Фигня какая-то получается со всех сторон. Кстати, кто такие эти загадочные гости?

— А я почем знаю, — отозвался Доценко.

Они еще долго обсуждали такое простое на первый взгляд дело Валентины Евтеевой, которое неожиданно оказалось таким непонятным и запутанным. И расстались, сойдясь во мнении, что здесь что-то очень нечисто.

* * *

Полковник Алекперов не сидел без дела и, помимо своей основной деятельности, активно занимался поисками информации, которая могла бы пролить свет на убийство матери Бориса Кротова и на автора подметных писем. В копии приговора по делу Стеценко, которую передал ему Кротов, было сказано, что его мать Лариса работала диспетчером в ЖЭКе, обслуживавшем в том числе и тот дом, в котором она жила. Хан не поленился, нашел давно вышедших на пенсию работников этого ЖЭКа, задал им множество вопросов, в том числе и о том, знали ли они каких-нибудь друзей-подружек красавицы Ларисы Кротовой, а потом, как и полагается, пошел «по цепочке»: находил одного, узнавал у него имя и координаты другого, шел к этому другому и так далее. В итоге от этих друзей и особенно подружек, «работавших» вместе с Ларисой в области одной из древнейших профессий, ему удалось выяснить, что в ЖЭКе Лариса работала только последние полгода перед гибелью, а до этого была элитной проституткой, которую активно использовал КГБ для обслуживания «своих» клиентов, причем не иностранцев (иностранцы проходили по другому ведомству), а советских граждан, занимающих высокое положение. Этим гражданам ведь тоже иногда расслабиться и отдохнуть нужно, а с кем же им расслабляться? С первой попавшейся девочкой с вокзала? Нет, кадры должны быть «чистые» и проверенные. Вот таким «чистым» и проверенным кадром и была Лариса Кротова, которую посылали чаще всего обслуживать высоких гостей в банях и на дачах.

Картина у Хана в целом сложилась, и он вызвал Кротова на очередную встречу, которую назначил на этот раз не на конспиративной квартире, а у себя дома. Так ему в тот день было удобнее. На самом деле Хан опасался, что то, что он собирался сказать Борису-Александру, вызовет у того шок, во всяком случае, реакция на рассказ может оказаться какой угодно, в том числе и неадекватной, и Алекперову куда удобнее остаться с разволновавшимся человеком в домашней обстановке, чем на квартире, предназначенной для конфиденциальных деловых встреч. Если уж Кротов и начнет бить посуду или стекла, то лучше пусть делает это дома у Ханлара.

Опыт у полковника был немалый, к приходу гостя он запасся и водкой, и закуской, и сердечными препаратами, и еще кое-чем, что, как он точно знал, может в такой ситуации понадобиться.

Когда Борис пришел, Хан усадил его в комнате на диван и поделился своими подозрениями: убийство его матери было подстроено с целью убрать человека, который слишком много знает и который внезапно вышел из-под контроля. Об этом свидетельствует вся картина: приехавшая с периферии молодая женщина, проститутка, живущая на съемной квартире и регулярно посылающая домой деньги на содержание малолетнего сынишки, вдруг становится скромной работницей рядового ЖЭКа, а главное — обладательницей однокомнатной квартиры. Чудесная метаморфоза!

— И как такое могло получиться? — спросил напряженно слушавший его Кротов.

— Только одним способом. Она заявила своему куратору из КГБ, что хочет покончить с проституцией, поскольку ей надо сына растить, и попросила помочь устроиться в нормальной жизни, но чтобы непременно в Москве. И чтобы сына сюда забрать. Возвращаться в свой родной Омутнинск ей категорически не хотелось. Ты ведь знал, что твоя мать родом из Омутнинска?

— Нет, — покачал головой Борис. — После ее смерти никакая родня меня не искала. Я был уверен, что у меня никого нет. Но ведь у кого-то же я жил, пока мама не забрала меня в Москву. Я помню, что это был маленький городок и что я жил у тети Ани, но никогда не задумывался, кем она приходится мне и маме. Тетя Аня и тетя Аня. Она обо мне заботилась, наверное. Но я совсем ничего не помню, только саму тетю Аню помню. И еще я помню, что, когда мама меня забрала, мы сначала жили на одной квартире, а потом переехали на другую, где все и случилось.

— Правильно, — кивнул Алекперов, — Лариса сначала забрала тебя, а потом поставила вопрос перед куратором. Дескать, ребенок теперь со мной, и мне стало трудно выполнять свои обязанности. Да, кстати, тетя Аня — троюродная сестра твоей мамы.

— Откуда ты знаешь? — удивился Борис.

— Я нашел многих людей, которые когда-то знали твою маму. Одной своей подружке она говорила, что сын Саша живет у ее троюродной сестры Анны. В общем, я теперь много чего знаю. Так вот, куратор. Ему такая постановка вопроса, естественно, не понравилась. Не могла понравиться по определению, это я тебе точно говорю. И все-таки он помог твоей матери, устроил ее на работу, каким-то немыслимым образом организовал ей квартиру и прописку. Теперь слушай меня внимательно, это очень важно: куратор — это оперативник довольно мелкого уровня, не начальник отдела и тем более не начальник управления, у него недостаточно полномочий, чтобы решить вопрос с квартирой. С работой — да, он мог бы помочь, а с квартирой — нет. Но вопрос этот он все-таки решил. Почему?

— Почему? — послушно повторил вслед за ним Кротов.

— Потому что Лариса его чем-то припугнула, вероятно, чем-то таким, что она увидела, услышала или узнала, когда обслуживала высокопоставленных клиентов. И это «что-то» было настолько важным и опасным, что куратор немедленно побежал к руководству докладывать. И знаешь, что должно было сказать ему руководство? Делай, как она просит, мы поможем, но прими меры, чтобы она рот не раскрыла. Кому нужен живой свидетель со склонностью к шантажу? Это опасно. И куратор начал принимать меры.

— Какие? — недоуменно спросил художник.

— Он начал обдумывать план устранения твоей матери. И именно в это время от уголовного дела о крупных валютных операциях внезапно «отмазывают» симпатягу Валерия Стеценко, который сей же час знакомится с Ларисой и становится сперва ее любовником, а потом и сожителем. Я проверял по срокам, все сходится. И через два-три месяца после этого он в пьяном угаре Ларису убивает и садится, но заметь себе, садится он всего на восемь лет.

— А разве это мало?

— Много. Но если бы он остался в валютном деле, то пошел бы под «вышку», в самом лучшем случае загремел бы на пятнадцать лет. Вот такая нехитрая сделка. Я думаю, что именно эту правду и имел в виду автор писем.

— Откуда же он эту правду знает?

— А он и есть тот самый офицер КГБ, куратор. Кому ж знать, как не ему. Еще знал Стеценко, но он убит. Только они двое знают правду в полном объеме, потому что все остальные, кто был в курсе, знают ее отдельными частями. Например, тот начальник, который давал указание вывести Стеценко из дела, совершенно точно не знал, как именно твоего дядю Валеру собираются использовать, он просто получил указание и спустил его своим подчиненным. А тот, кто давал ему указание, наверное, знал, зачем нужен Стеценко, но наверняка не знал ни имени твоей мамы, ни имени того сотрудника, который будет реализовывать комбинацию. Это слишком высокий уровень для такой мелкой информации. А тот начальник, который знал, что речь идет о необходимости устранить именно женщину по имени Лариса Кротова, не знал, какого фигуранта подыщут для этой цели. В общем, целиком всю историю знал только сам куратор, который налаживал Стеценко на знакомство с твоей мамой и ее убийство. И я уверен на двести процентов, что письма тебе пишет именно он. Он, заметь себе, обладает немалым даром убеждения, ведь уговорить Стеценко пойти на убийство — дело отнюдь не простое, все-таки валютчик-фарцовщик и убийца — далеко не одно и то же. Но, с другой стороны, над твоим дядей Валерой висела реальная перспектива расстрела, и, чтобы ее избежать, он, наверное, готов был пойти на многое. Во всяком случае, этот пресловутый куратор хорошо разбирался в людях и совершенно точно из всех возможных кандидатов выбрал именно его.

Борис некоторое время рассматривал рисунок на обивке дивана, водя по нему пальцем, потом поднял глаза на Хана.

— Ну хорошо, предположим, я дозрел, начал умирать от любопытства, готов заплатить деньги, и, как только он скажет мне, где и когда, я немедленно соглашусь и приеду. Неужели он будет признаваться в том, что организовал убийство мамы? Никогда не поверю.

Хан усмехнулся:

— Зачем же ему признаваться? Он опишет тебе все, как было на самом деле, только скажет, что куратором и организатором был его коллега, ныне покойный. На мертвых валить очень удобно. Единственный, кто знает, что речь идет именно об этом человеке, а не о его коллеге, это Валерий Стеценко, но он убит и уже никому ничего не скажет. Кстати, я не исключаю, что наш гипотетический куратор сначала выследил и убил Стеценко, а потом уже начал пытаться тянуть из тебя денежки, так куда безопаснее. А то вдруг ты решишь найти Стеценко да и спросить, как же там дело было? Найти-то его совсем несложно, он ни от кого не прятался, жил себе тихо-мирно под своим настоящим именем. Правда, не в Москве, а в Твери, но при нынешних информационных технологиях это труда не составило бы. Между прочим, убить Стеценко именно в Москве, а не по месту жительства — отличная идея, очень профессиональная. В Твери убийством занимались бы более серьезно, а здесь, в столице, никому ни до кого дела нет, а уж тем более до какого-то гастарбайтера, у нас тут более серьезных убийств хватает. Попомни мои слова, у этого куратора возникла нужда в деньгах, и он начал готовиться к продаже информации.

— Чего ж он тянул так долго? — удивился Кротов. — Давно бы уже продал.

— А он, может, и продал, — загадочно улыбнулся Хан.

— Кому?

— А вот этого мы с тобой не знаем. Но, вероятнее всего, он этой информацией торгует уже не один месяц, просто до тебя очередь только сейчас дошла. Знаешь, с дерева всегда сначала срывают более крупные и зрелые плоды, съедают их, а когда хочется еще, то срывают уже помельче и менее спелые. Чем сильнее голод, тем мельче и зеленее плод. У тех, кто торгует информацией, происходит в точности то же самое: сперва они продают ее тому, кто может заплатить побольше, а когда деньги заканчиваются, начинают оглядываться по сторонам и смотреть, с кого еще можно поиметь хоть копейку.

— То есть я лох второй очереди, — процедил сквозь зубы Кротов. — Приятно.

— Или даже третьей, — поддакнул Хан. — Слушай, по-моему, тебе пора выпить. На тебе лица нет. Я в курсе, что ты совсем не пьешь, но сейчас, мне кажется, надо бы отступить от принципов и вмазать как следует.

Борис поднял голову и посмотрел на Ханлара затравленно и как-то растерянно.

— Да? А мне казалось, что я хорошо держусь... Неужели так заметно?

— Заметно, — кивнул Ханлар. — Сиди, я сейчас все принесу.

Он вышел на кухню, достал из холодильника бутылку водки и два пластиковых контейнера с купленными в кулинарии салатами, вытащил из шкафчика упаковку нарезанного черного хлеба и принес все это в комнату. Потом сходил еще раз за рюмками, тарелками и приборами. Кротов попытался налить водку в рюмку, но мешала дрожь в руках, и горлышко бутылки отбивало по краю рюмки затейливую дробь.

— Не могу, давай ты сам, — виновато проговорил он. — Никогда бы не подумал, что меня так выбьет из колеи то, что ты рассказал. Я ведь не дурак, я много думал о маме, когда вырос, и я отлично понимал, что она была красивой одинокой молодой женщиной, то есть я в принципе легко допускал мысль о ее многочисленных связях, но почему-то известие насчет проституции меня совершенно подкосило. Мало того, она еще и шантажисткой была... Хан, а может, ты ошибаешься? Может, все не так было?

— Может, — легко согласился Алекперов, наполняя рюмки. — Но маловероятно. Я не могу придумать другую схему, в которую так ровно и гладко легли бы все факты. Выпей, Кротов. Тебе полегчает.

Борис выпил подряд две рюмки, закусил салатом и хлебом, потом выпил еще одну. Через несколько минут стало действительно не так муторно.

— Ты говорил, что сейчас пишешь портрет телки Артура? — внезапно спросил Хан.

— Ну да. А что?

— Знаешь, о чем я подумал? Артура крышуют бывшие комитетчики, это я знаю совершенно точно. Эти ребята имеют возможность узнать, кто был куратором твоей матери и по чьей инициативе был выведен из валютного дела Стеценко. Попробуй с ним поговорить.

Хан радовался, что так удачно и вовремя сделал вид, будто только что вспомнил про Артура. На самом деле об Артуре он подумал в первую очередь, когда обдумывал полученную информацию и готовился к разговору с художником. Сейчас они с Кротовым обсудят, как нужно разговаривать с этим криминальным авторитетом, и беседа плавно уйдет в сторону. Хорошо, что все обошлось только водкой и закуской. Все-таки Кротов на удивление крепкий парень. Хану с ним очень повезло.

* * *

Екатерина Крамарева сидела на чемодане перед дверью в квартиру Зои Петровны, своей свекрови, и все не могла собраться с духом и нажать кнопку звонка. Что сказать? Как объяснить свой поступок? И как отнесется к нему Зоя Петровна? А главное: что делать, если свекровь ее не одобрит? Куда податься? Собственных денег у Катерины немного, а надо ведь где-то жить и содержать дочь. Конечно, она вернется на работу, профессию она не потеряла, но все равно... Ей нужна помощь и поддержка, и получить все это она может только у Зои. Никаких других родственников у нее не осталось — родители рано умерли, а братьев и сестер не было вовсе.

Она все-таки дотянулась рукой до звонка и стала ждать. Через некоторое время послышались неровные шаги и постукивание палки — свекровь приближалась к двери. Щелкнул замок.

— Катерина? Что-то случилось? Почему ты с чемоданом?

Катя стремительно встала и обняла Зою Петровну.

— Здравствуйте, Зоя Петровна. Можно войти?

— Разумеется, проходи.

Катя втащила в квартиру тяжелый чемодан и — как с головой в омут — прямо с порога заявила:

— Я не могу больше жить с Максимом. Можно мне пожить с вами?

Она ждала, что Зоя Петровна начнет ахать и спрашивать, что случилось и чем ее сын обидел свою жену, но та только помолчала несколько секунд, потом задала вопрос:

— А где девочка?

— Алинка у подружки. Если вы нас не выгоните, то вечером она приедет сюда.

— Хорошо, — кивнула Зоя Петровна. — Неси чемодан вот в эту комнату, будете жить здесь. Тебе помочь разобрать вещи?

— Спасибо, я сама. Мы постараемся вам не мешать, честное слово. И это ненадолго, мне нужно как-то устроить жизнь, найти работу, потом я придумаю что-нибудь с жильем, — торопливо объясняла Катерина, открывая замки чемодана.

Но говорила она в пустоту, Зои Петровны рядом уже не было. Катя быстро разложила вещи, одежду повесила в шкаф и подумала, что ей почему-то неприятно. Впрочем, причина этого внезапного чувства очень быстро стала ей понятна: она находилась в бывшей комнате Максима, в которой он жил до тех самых пор, пока не встал на ноги, не начал собственный бизнес и не купил свою первую собственную квартиру. В этом шкафу когда-то висела его одежда, на этих «плечиках» были брюки, пиджаки и сорочки, а на этих полках лежали свитера и белье. Он спал на этой кровати. А на этой прикроватной тумбочке лежали книги, которые он читал... Ей не хотелось прикасаться ни к чему, что было связано с ее мужем. Максим стал ей совсем чужим и... нет, не опасным, но враждебным, и источник этой враждебности — в ней самой.

Катерина осторожно вышла из комнаты и заглянула в кухню. Пусто и стерильно чисто. Свекровь она нашла в гостиной, та работала, сидя за столом. Услышав шаги невестки, подняла голову и улыбнулась.

— Устроилась? Тогда давай обедать.

— Я сейчас приготовлю, — подхватилась Катерина.

— Не нужно, у меня все готово, осталось только разогреть.

— Я разогрею...

Ей очень хотелось помочь и быть полезной, чтобы у Зои Петровны с самой первой минуты не возникли опасения, что невестка и внучка станут ей обузой. Но свекровь решительно поднялась и двинулась на кухню.

— Не обращайся со мной как с инвалидом, я прекрасно все могу сделать сама, — сказала она. — Имей в виду, Катерина, я с благодарностью принимаю помощь, но в разумных пределах, и уж ни в коем случае не позволяю никому делать за меня то, что я должна делать сама. Если хозяйка приготовила обед, то подавать его она должна сама.

Это троекратно повторенное слово «сама» больно резануло Катерину, ей показалось, что Зоя Петровна словно отделяется от нее, ставит невидимую, но очень прочную преграду, через которую не пробьются никакие попытки быть полезной и не оказаться обузой. Однако пассаж насчет обеда остался для нее непонятным.

— Почему? — удивилась Катя.

— Потому что, — твердо ответила Зоя Петровна. — Если человек что-то делает, он должен сам предъявить результат своего труда и нести за него ответственность. Тебе я могу поручить нарезать хлеб, я его не пекла, а всего лишь купила.

Она негромко рассмеялась и подмигнула невестке. Та улыбнулась в ответ, испытывая огромное облегчение.

После обеда пили чай с конфетами, и только тут Зоя Петровна наконец поинтересовалась, что же все-таки случилось. Катерина всю дорогу, пока ехала из дома, обдумывала этот разговор, готовила аргументы, вспоминала примеры, которые можно было привести, чтобы объяснить, как сильно изменился Максим и каким он стал за последние месяцы, но оказалось, что ничего этого не нужно. Она не успела договорить до конца даже первую фразу, когда Зоя Петровна перебила ее:

— Это все из-за политики, да? Он слишком увлекся ерундой и забыл о главном. И не последнюю роль здесь сыграл Виталий Андреевич. Ты ведь именно это хотела мне сказать?

— Да, именно это. Понимаете, это совсем не тот человек, в которого я когда-то влюбилась. Он стал невыносим, он рвется к власти. Прежнему Максиму было интересно дело, развитие, движение вперед, а власть — это болото, там же нет никакого развития, только сиди и жирей. Мне это противно.

Она набрала в грудь побольше воздуха, чтобы сказать главное.

— Зоя Петровна, мой приход к вам — это не результат ссоры. Я не ищу убежища, чтобы отсидеться до тех пор, пока мы не помиримся. Мы вообще не ссорились с Максимом. И он пока даже не знает, что я собрала вещи и уехала. Узнает только вечером, когда приедет домой. Я хочу от него уйти совсем, понимаете? Я не хочу больше с ним жить. Я хочу развестись.

Зоя Петровна смотрела на нее грустно и ласково.

— Я понимаю тебя, детка. Я сама когда-то ушла от Виталия Андреевича по той же самой причине. Как странно повторяется история... Мне казалось, что я сумела воспитать хорошего сына, а оказалось, что из него выросла копия его отца. Копия настолько похожая, что он даже жену себе выбрал такую же, какую в свое время выбрал Виталий. Жену, которая не смогла и не захотела терпеть борьбу за политическую карьеру. Смешно! Остается надеяться на то, что и во всем остальном они окажутся похожими.

— Что вы имеете в виду? — насторожилась Катерина. — В чем еще они должны оказаться похожими?

— В отношении к детям. Виталий безропотно отдал мне Максима, не претендовал на общение с ним и на участие в воспитании. Он вообще сыном не интересовался. Надеюсь, Максим не затеет судебную тяжбу с тобой по поводу прав на Алинку, станет просто платить алименты и оставит вас в покое. Не хочется, чтобы девочку травмировали судами и дрязгами между родителями, у нее и так сейчас трудный возраст.

Разговор, которого так боялась Катя, оказался коротким и на удивление легким. Она была благодарна свекрови за поддержку и понимание, и даже предстоящие трудности с поисками работы и жилья уже не казались такими уж непреодолимыми. До вечера Зоя Петровна работала, потом к ней пришел какой-то редактор, с которым она просидела над текстом часа полтора. Катерина около девяти часов собралась ехать за Алиной, позвонила, но оказалось, что дочь с подружкой отправилась в кино, после чего отец подружки обещал девочек встретить и отвезти Алину к бабушке. Так что ехать никуда не пришлось.

— Детка, я хочу кое-что тебе сказать, — Зоя Петровна сняла очки и отодвинула стул от стола, устраиваясь поудобнее. — Сядь и послушай меня.

Сердце у Катерины упало. Вот оно, продолжение разговора, который показался ей таким легким. И это продолжение не будет ни легким, ни приятным.

— Неделю назад у меня был Максим. Да, ровно неделю назад, как раз в прошлый понедельник. Мы с ним поговорили. Плохо поговорили. И плохо расстались.

— Вы поссорились? — испугалась Катя.

Максим ничего не говорил ни о том, что навещал мать, ни тем более о том, что у них конфликт. И это еще больше утвердило ее в мысли, что она поступает правильно. Они с мужем стали совсем чужими, если уж даже о визите к матери он ей не рассказал. А зачем чужим и далеким друг от друга людям жить вместе?

— Нет, мы не ссорились, но разговор был тяжелым, — спокойно ответила Зоя Петровна. — Во всяком случае, для меня. И после него я много думала. Вот что я тебе хочу сказать, Катерина: будь помягче с Алинкой.

— Да разве я... — начала было Катя, но свекровь не дослушала ее.

— Не перебивай меня. Я знаю, ты воспитываешь девочку в строгости и послушании, прививаешь ей трудолюбие, стараешься дать хорошее образование. Я тоже воспитывала Максима именно так, никаких послаблений не давала, не приласкала лишний раз, не похвалила, только требовала и требовала. Мне казалось, что так правильно. А теперь я поняла... Не все и не сразу, но мне кажется, что хотя бы частично поняла. Последней каплей в этом понимании были твои слова сегодня о том, что к нему приезжали какие-то люди, и он с ними и с тем ученым, который у вас жил, проводил какие-то непонятные совещания. Каждой девочке, Катюша, необходимо побыть принцессой, а каждому мальчику — полководцем. Это заложено генетически, и с этим ничего нельзя сделать. Если девочка не побыла принцессой в детстве, она захочет побыть ею, когда вырастет, и это порой принимает такие уродливые формы, что хоть стой — хоть падай. Тебе, наверное, приходилось встречать на улицах женщин, причем не только молодых, одетых ярко, нарядно и совершенно неуместно. Таких живых кукол. Ведь приходилось?

Катерина задумалась и кивнула. Да, действительно, такие попадаются, и не так уж редко. Ярко накрашенные, а порой и откровенно размалеванные, с дурацкими бантами в волосах, с неумеренным количеством блесток и пайеток на одежде, в пышных юбках. Честно признаться, она всегда считала таких женщин немного сумасшедшими, особенно если им было прилично за тридцать.

— И точно так же мальчик, которому в детстве не дали вдоволь наиграться в полководца, пытается им стать, когда вырастает. Опять же, у всех это принимает разные формы. У твоего мужа это вылилось в стремление превратиться в эдакого начальника штаба, который проводит тайные совещания вроде военного совета. Это не стремление руководить, не путай. Максим и без этой его власти, без места в Думе, руководит крупным концерном, у него тысячи людей в подчинении, он ворочает огромными деньгами, но не реализованные в детстве, не сыгранные роли сейчас жестоко отзываются на нем. Ему хочется партизанского штаба и тайн. Он просто большой ребенок. Он так и не стал по-настоящему взрослым. А знаешь почему? Потому что я сама, своими руками не дала ему побыть ребенком в то время, когда он должен был им быть. Я слишком старалась вырастить его серьезным и самостоятельным, я не разрешала ему лишних полчаса поиграть с мальчишками во дворе, заставляла сидеть над учебниками и читать нужные книги. Я хотела ему добра, хотела как лучше, а получилось, что я фактически лишила его детства. И вот его непрожитое детство теперь дает о себе знать. Это все я говорю тебе не к тому, чтобы ты его пожалела и простила, а исключительно для того, чтобы ты не повторяла моих ошибок в воспитании Алинки. Я знаю, что ты не позволяешь ей ничего лишнего, избыточного, ты не покупаешь ей красивые платья просто так, не разрешаешь носить украшения. Так вот, теперь я не уверена, что это правильно.

— Детей нельзя баловать, — уверенно проговорила Катерина. — Они не должны иметь избыточное, потому что они этого не заработали. Ребенок должен с детства понимать разницу между необходимостью и капризом.

— Может быть, может быть, — задумчиво произнесла Зоя Петровна, но Катя этих слов не разобрала. Зоя Петровна очень старалась говорить внятно, и люди, общавшиеся с ней, довольно быстро привыкали к особенностям ее дикции и хорошо ее понимали, но, когда она задумывалась и ослабляла контроль над речью, слова ее становились невнятными и смазанными.

Она помолчала, а когда снова заговорила, Катя уже хорошо разбирала каждое слово.

— Я же сказала: я не уверена, что это правильно. Теперь я уже ни в чем не уверена. Но одно я знаю точно: каждая роль должна быть сыграна вовремя. И речь идет не только о принцессах и полководцах, существует множество ролей, которые мы играем на протяжении всей жизни. Это и роль сына или дочери, и роль родителя, и роль супруга, любовника, друга и так далее. Роль, каждая из этих ролей, все равно будет сыграна, вопрос только в том, когда и в какой форме. Хорошо, если вовремя. А если нет — тогда мы будем иметь весь спектр от посмешища до беды. Просто помни об этом, когда общаешься с Алинкой.

Алину привезли почти в одиннадцать вечера, и Катерина не на шутку рассердилась: завтра рано вставать в школу, а девочка до сих пор не спит.

— Мам, мы что, домой не едем? — удивилась Алина, когда поняла, что ее укладывают в постель в квартире бабушки.

Катерина, отвезя утром дочку в школу, ничего не сказала ей о своем решении развестись с ее отцом. Она в тот момент еще не была уверена, что у нее хватит мужества собрать вещи и уехать. На отъезд мужества хватило, его хватило даже на разговор со свекровью, а вот объясниться с дочерью Катя так и не собралась.

— Мы пока поживем у бабушки, — уклончиво ответила она.

— Но у меня учебники дома, тетради, завтра же другие уроки...

— Я все привезла, не беспокойся. И учебники твои, и одежду.

Это было правдой. В чемодане, который привезла Катерина, были в основном вещи Алины. Для себя Катя взяла только самое минимально необходимое — туалетные принадлежности, пижаму и смену белья. И никакой одежды — для нее в большом чемодане уже не оставалось места. Ничего страшного, она походит какое-то время в одном и том же, тысячи людей так живут — и ничего особенного не происходит.

— А когда мы поедем домой? — не успокаивалась девочка. — Завтра?

— Я же сказала: мы поживем пока у бабушки.

В глазах Алины мелькнула догадка:

— Ты что, с папой поссорилась? Подожди, мам, но у меня завтра арабский, как же я буду заниматься? А папа сюда приедет?

Вопросы сыпались один за другим, и на все пришлось отвечать. За этот длинный и не самый простой в жизни Екатерины Крамаревой день вечерний разговор с дочерью оказался самым тяжким делом. А впереди был еще разговор с Максимом, который пока не вернулся домой и еще не видел ее записки... Хорошо, что у него давно уже пропала привычка звонить ей среди дня просто так, чтобы узнать, как у нее дела и какие планы на вечер. Он перестал интересоваться ее делами и ее планами. Нет, все-таки она правильно решила.

* * *

Мелодичный звонок домофона прервал плавный рассказ Ангелины Михайловны об очередном спектакле, который они с Виленом Викторовичем видели накануне. Лев Сергеевич стал неуклюже подниматься из-за стола, чтобы выйти в прихожую и посмотреть, кто пришел, но Ангелина Михайловна его опередила.

— Сидите, сидите, Лев Сергеевич, я посмотрю.

Она подошла к аппарату и взглянула на монитор, в котором маячило незнакомое мужское лицо. Сняв трубку, она строго спросила:

— Вы к кому?

— Людмила Леонидовна Гусарова? — послышался голос.

— Ее нет дома.

— А Лев Сергеевич?

— Как вас представить? — тоном вышколенной секретарши произнесла Ангелина.

— Следователь следственного комитета при прокуратуре Торцов.

— Одну минуту.

Она зажала микрофон рукой:

— Лев Сергеевич, к вам следователь.

— Какой еще следователь?

— Не знаю. Из следственного комитета при прокуратуре.

— Ну что же вы, Ангелина Михайловна, — заволновался Гусаров. — Впустите его сейчас же, неудобно.

Ангелина нажала кнопку, открывающую дверь в подъезд, и осталась в прихожей ждать, когда позвонят в квартиру.

— Не вижу ничего неудобного, — громко сказала она, чтобы находящийся в комнате Гусаров хорошо ее слышал. — Вы же его не приглашали и не ждали, вас вообще могло не быть дома, раз вы не договаривались о встрече.

Гусаров, хромая, вышел из комнаты, чтобы встретить гостя. Когда раздался звонок, он сам открыл дверь. На пороге стоял мужчина в годах с симпатичным открытым лицом и папкой в руке.

— Лев Сергеевич? Позвольте представиться: Торцов Аркадий Николаевич, старший следователь. Вот мое удостоверение.

Гость потянулся к карману, но Гусаров протестующе замахал руками.

— Не надо, не надо, к чему этот официоз. Вы только скажите, что случилось? С кем-то беда? С Люсей? С Ленькой? С Мариной? С Сашкой? С кем-то из внуков?

— С вашими близкими все в полном порядке, — улыбнулся Торцов. — Мне нужно поговорить с вами о Ларисе Кротовой. Вы ее помните?

Ангелина Михайловна, стоявшая тут же, чуть сознание не потеряла от волнения. Следователь интересуется Ларисой! Почему? Зачем? Что произошло? И в любом случае надо сделать все возможное и невозможное, чтобы остаться и поприсутствовать при разговоре. Это с ней и Виленом можно увиливать и не отвечать на вопросы, а со следователем так не получится и придется рассказывать всю правду. А ей, Ангелине Сорокиной, услышать эту правду жизненно необходимо.

— Ну конечно, мы помним Ларису, ведь она была нашей соседкой, жила в квартире на нашем этаже. Но только это было так давно... — растерялся Гусаров. — Что мы можем знать о ней?

Следователь Торцов мягко улыбнулся.

— Вы позволите мне пройти? Я вам сейчас все объясню.

Гусаров проводил его в комнату, и Ангелина Михайловна перехватила вопросительный взгляд, брошенный Торцовым в ее сторону. От Льва Сергеевича этот взгляд тоже не укрылся.

— Это Ангелина Михайловна Сорокина, соседка, она, кстати, живет в той самой квартире, где когда-то жила Лариса.

Сейчас ее попросят удалиться и не мешать конфиденциальной беседе... Надо любым способом этого избежать.

— Может быть, чаю? — любезно спросила она. — Или вы предпочитаете кофе? Я подам, Лев Сергеевич, не беспокойтесь.

— Если можно — чаю, — попросил следователь, и по выражению его лица Ангелина поняла, что теперь уж у него язык не повернется попросить ее уйти. Ну как это так: подай-принеси-пошла вон? В приличном обществе так не делают.

Она ушла на кухню заваривать чай и все время прислушивалась к голосам в комнате, боясь пропустить что-то важное и интересное.

— Лев Сергеевич, после убийства Кротовой вы проходили свидетелем по делу и выступали в суде, — начал Торцов.

— Да, было такое.

— Значит, вы были более или менее в курсе того, как жила ваша соседка, — Торцов не то спрашивал, не то утверждал, и Ангелина пожалела, что не видит его лица.

— Скорее менее, чем более, — отвечал Гусаров. — Наши дети вместе играли, Лариса часто приводила Сашеньку к нам, когда не с кем было его оставить. Ну и когда появился этот ее кавалер, Валера, она нас познакомила. Вот, собственно, и все. Я тогда еще служил, все время пропадал на работе, и с Ларисой больше общалась моя жена, вам надо бы с ней поговорить, а не со мной. А что случилось-то? Почему вы про Ларису вдруг вспомнили?

— Дело в том, Лев Сергеевич, что Валерий Стеценко убит.

— Стеценко? А кто это?

— Тот самый Валера, сожитель Кротовой, который ее убил.

Ангелина Михайловна чуть не выронила из рук фарфоровую крышечку от заварочного чайника. Удача! Неслыханная, неожиданная удача, что она оказалась в нужный момент в квартире Гусаровых, в противном случае такая важная информация прошла бы мимо нее. Надо сегодня же доложить Максиму. А вдруг это окажется для него полезным?

Она на мгновение отвлеклась на собственные мысли и чуть не пропустила продолжение разговора.

— ...у следствия есть основания полагать, что убийство Стеценко может быть местью за Кротову. И в рамках этой версии у нас намечено два направления расследования. Первое: за Кротову отомстил кто-то из ее близких друзей, возможно, бывший любовник. И второе: это была месть за убийство матери, и подозреваемым в этом случае становится сын Ларисы Александр. Алиби Александра мы проверили, он к убийству непричастен. Остаются друзья, знакомые и любовники. Вот почему я и пришел к вам.

— Но я-то чем могу вам помочь? Я не был Ларисе ни другом, ни любовником. Я просто сосед, который к тому же мало бывал дома в те годы.

Ангелина Михайловна торопливо собрала на поднос чайник, чашки и все прочее, что полагается подавать в таких случаях, и направилась в комнату. Никакая сила теперь не заставит ее покинуть эти стены, пока следователь не уйдет. Она молча, стараясь быть как можно менее заметной, подала чай гостю и хозяину, на всякий случай не обделила и себя. Пусть только этот Торцов попробует выгнать человека, который мирно пьет чай и никому не мешает! Кстати, имя у него какое-то... странное. Вроде бы совершенно обыкновенное — Аркадий Николаевич Торцов, но что-то в этом имени смущало Ангелину Сорокину и заставляло невольно тревожиться.

— Нам нужно определить круг знакомых Кротовой, — говорил между тем следователь. — Вот почему я пришел к вам в первую очередь. Не осталось ли от нее каких-нибудь бумаг?

— Нет, — покачал головой Гусаров, — ничего не осталось.

— Вы не помните, в какой детский дом отправили ее сына? Может быть, вещи и документы были вместе с ним?

— Какой детский дом, вы что? — возмутился Лев Сергеевич. — Сашеньку мы с женой взяли к себе, оформили опеку.

— Вот как? — вздернул брови следователь Торцов. — Опеку? А почему не стали усыновлять?

— Из-за квартиры, — вздохнул Гусаров. — Если бы усыновили Сашу, то квартиру Ларисы сразу же отобрали бы. А при опеке квартира остается за ребенком, и по достижении совершеннолетия он имел право делать с ней что захочет: приватизировать, продать, обменять. Конечно, когда мы взяли Сашу к себе, никакой приватизации еще не было, и продавать квартиры было нельзя, можно было только жить в них и обменивать. Но мы с женой хотели, чтобы у мальчика была своя жилплощадь, когда он вырастет.

— Что ж, вполне понятно. А кто забирал вещи Кротовой после ее смерти? Родственники? Или вы с супругой?

Лев Сергеевич махнул рукой и сделал глоток из своей чашки.

— Да помилуйте, какие там вещи? И потом, знаете, мы, наоборот, старались никаких вещей из квартиры Ларисы не брать, чтобы ничто не напоминало ребенку о трагедии. Пусть вокруг него будет все новое, незнакомое, и пусть начнется новая жизнь, в которой не будет страшных воспоминаний. Вот так мы с женой рассуждали. Мы тогда даже одежду Сашке всю новую купили, и книжки, и игрушки, и альбомы, и карандаши, и краски.

— А мебель? — поинтересовался Торцов. — Мебель тоже не забирали?

— Нет, все продали по объявлению. И мебель, и ковер, и посуду, которая была поприличнее, — все продали и деньги на Сашино имя положили в сберкассу, а что совсем старое и негодящее было — дворникам отдали и уборщице из ЖЭКа, которая наш подъезд мыла.

— Ну а личные бумаги, документы? Они-то куда делись?

— Те бумаги, которые необходимы, мы оставили: свидетельство о смерти Ларисы, копию приговора, Сашино свидетельство о рождении, удостоверение на участок на кладбище, квитанционные книжки на оплату коммунальных услуг и телефона.

— А записная книжка Кротовой? Не помните, куда она делась?

— Так ее вроде и не было... — Лев Сергеевич задумчиво посмотрел в потолок, потом спохватился: — Нет, кажется, была. Точно, была, я помню, Люся, это моя жена, обзванивала знакомых Ларисы насчет похорон и поминок. А как она могла бы им звонить, если бы записной книжки не было? Значит, она была.

— Вот-вот, — встрепенулся следователь, — это очень важно. Много народу обзвонила ваша супруга?

— Ну, сколько человек она обзвонила — этого я не знаю, а только на похоронах и поминках человека три-четыре было, подружки Ларисины.

— Только подружки? — строго спросил Торцов. — А мужчины? Мужчины какие-нибудь были из числа знакомых Кротовой?

— Нет, насколько я помню, посторонних мужчин не было. Были только соседи из нашего дома, которые знали Ларису, сотрудники ЖЭКа, где она работала, да вот эти три-четыре девахи.

— Понятно. И куда потом делась эта записная книжка?

— Да кто ее знает? Наверное, Люся выбросила.

— Выбросила?

— Да, конечно. Она все личные вещи Ларисы выбросила, чтобы Сашка случайно не наткнулся.

Ангелина Михайловна сидела замерев, уткнув глаза в свою чашку, и боялась пропустить хоть слово. Вот и получены ответы на все вопросы. Конечно, это совсем не те ответы, которые нужны Максиму, он предпочел бы, чтобы то, что ему нужно, все-таки нашлось. Но теперь она знает совершенно точно, что этого нет. Если оно и было когда-то, то давно сгнило на помойке.

* * *

Ардаев вышел из подъезда, сел в свою машину, завел двигатель. Все оказалось даже проще, чем он предполагал. Давно надо было так поступить, а не ждать, пока эти неуклюжие Сорокины что-нибудь разузнают. Если полагаться на эту парочку, то ждать можно до морковкиного заговенья.

А Ангелина-то хороша! Тоже мне, театралка, любительница высокого искусства, на имя даже не прореагировала. Когда Ардаев у одного своего проверенного знакомого заказывал удостоверение следователя следственного комитета при прокуратуре, он специально выбрал это имя — Аркадий Николаевич Торцов. Он с самого начала закладывался на то, что Сорокина будет присутствовать при разговоре, потому что она целыми днями торчит у Гусарова, а если бы ее не оказалось, Ардаев попросил бы пригласить соседей, которые теперь живут в квартире Кротовой. У него и объяснение этому было заготовлено: надо узнать, не приходил ли кто-нибудь, не искал ли сына Ларисы или ее родственников. В общем, он нашел бы что сказать. И Сорокина, а возможно, и ее муж обязательно услышали бы это имя — Торцов Аркадий Николаевич. Ардаеву было скучно, ему хотелось тонкого юмора и неожиданных поворотов в разговоре, ему не хватало адреналина... Но ничего такого не случилось, Сорокина на имя не прореагировала.

Ну что ж, главное сделано, информация получена. Ах, Лариска, ах, бедовая девчонка, куда ж ты девала то, что у тебя было? Неужели отдала своим подружкам или дружкам на хранение? Или все-таки у тебя и в самом деле ничего не было?

* * *

Ангелина Михайловна с трудом дождалась возвращения Вилена Викторовича, который отправился в книжный магазин в центре Москвы, где был большой букинистический отдел, в поисках одного старого издания по истории пост-импрессионизма. Едва муж появился дома, она кинулась в красках повествовать о визите следователя Торцова к соседям. Услышав имя, Вилен Викторович поморщился.

— Торцов? — переспросил он.

— Да, Аркадий Николаевич. Заешь, у меня все время было такое чувство, что я этого человека знаю. То ли лицо его мне показалось знакомым, то ли голос, то ли...

— Имя, — подсказал Сорокин. — Ну конечно, имя. Ты вспомни, мы с тобой читали записки Станиславского, и там упоминается педагог Аркадий Николаевич Торцов.

— Точно! — обрадовалась Ангелина. — Вот почему меня все время преследовало чувство, что мы знакомы. А оказывается, они полные тезки, и это просто совпадение.

— Ты Максиму позвонила, рассказала?

— Нет, я тебя ждала. Хотела сначала тебе рассказать, а уж если ты решишь, что нужно звонить, тогда сам и позвонишь.

Вилен Викторович удовлетворенно кивнул и потянулся за телефоном. Ангелина поняла, что все сделала правильно. Все-таки она хорошо изучила своего мужа за полвека совместной жизни. И пусть ему перестало нравиться то, чем они занимаются, все равно у него должно быть ощущение, что он — главный.

Глава 14

—Мне не нравится, когда мне что-то не нравится, — заявил Владислав Николаевич Стасов и воззрился на сидящего перед ним Михаила Доценко. — История с твоим драматургом, который прикидывается крупным ученым-химиком, вызывает у меня зубную боль и жжение в области мозга.

— Он не мой, — возразил Доценко. — Он — твоей заказчицы. И заказчица уж точно твоя, ты от нее прямо млеешь. Чего ты от меня хочешь? Чтобы я нашел, где пребывает его физическое тело, или чтобы я вывел его на чистую воду и доказал, что он мошенник? Имей в виду, правда про Гашина может твоей заказчице очень не понравиться. Ты ей сказал, что он не тот, за кого себя выдает?

— Нет, — с вызовом ответил Стасов. — Я считаю, что еще рано.

— Почему? — не понял Доценко. — Надо было сказать.

— А я говорю: рано. — В голосе шефа Михаил уловил раздраженные нотки. — Гашин жил до своего исчезновения в доме Максима Витальевича Крамарева, главы фармацевтического концерна. Давай-ка, бери ноги в руки и раскопай мне про этого Крамарева все, что сможешь.

Доценко неплохо владел компьютером, поэтому уже через два часа он докладывал Стасову, что Крамарев, помимо бизнеса, занимается еще и политикой и намерен участвовать в выборах в Мосгордуму. В борьбе за депутатское кресло он не на жизнь, а на смерть схлестнулся с Павлом Разуваевым, с которым у Крамарева, между прочим, и раньше бывали жестокие деловые конфликты.

— И какое отношение ко всему этому может иметь драматург Славомир Гашин — совершенно непонятно, — закончил Доценко.

— А ты еще вспомни про пожилую парочку, которая приезжала к Крамареву, — ответил Стасов. — Их вели в гостевой домик, где жил Гашин, и устраивали какие-то совещания. Смотри, как может получиться: Гашин обладает информацией, компрометирующей Разуваева, и все эти секретные посиделки не что иное, как разработка плана, как этой информацией получше распорядиться. Как тебе?

— Да мне-то отлично, — кисло отозвался Михаил. — Только Ирке моей не понравится.

— А Ирка-то твоя тут при чем?

— Стасов, ты невинность-то святую из себя не строй. Чтобы узнать, может ли Гашин обладать компроматом на Разуваева, надо ехать в Пермь и раскапывать всю его биографию, устанавливать его контакты и определять круг общения. Кто поедет? Я, что ли? Я тебя предупреждал...

— Я все помню. Тебе никуда ехать не придется, я Каменскую попрошу, она все равно в Пермь собирается по своему делу, пусть и по твоему поработает.

— Ну, тогда ладно, — Михаил с облегчением перевел дух. — Только я все равно не понимаю, какого ляда мы впрягаемся? Нам что, заказывали это? Ничего подобного, нас просили найти Гашина, чтобы твоя ненаглядная Валентина Евтеева могла с ним пообщаться и выяснить отношения. Ничего другого нас делать не просили. И если для тебя это имеет хоть какое-то значение, то напомню: ни за что другое нам не заплатят. Ты хочешь, чтобы мы с Каменской работали бесплатно? Или ты будешь из своего кармана оплачивать прекрасные бирюзовые глаза Евтеевой?

Стасов отвел взгляд и долго молчал. Потом поднял голову и посмотрел на Доценко насмешливо и одновременно печально.

— В тебе умер сыскарь, Мишка, а во мне он пока еще жив. И в Каменской он жив. Нам обоим очень не нравится, когда нам что-то не нравится. И мы с ней готовы работать не за страх, а за совесть для того, чтобы нам в конце концов все понравилось. Вот такой я родил афоризм.

Миша Доценко когда-то очень любил оперативную работу, но сейчас больше всего на свете он любил жену Ирочку и дочку. И если жена не справляется одна и не хочет, чтобы он уезжал в командировки, то его долг мужа и отца быть рядом и никуда не уезжать. Ирка — прекрасная хозяйка, у нее все в руках горит, и со всей домашней работой она управляется быстро и легко, но после рождения ребенка в ней поселился жуткий животный страх, что девочка внезапно заболеет и рядом не окажется никого, кто сможет помочь. Этот страх с годами не проходил, он становился все сильнее, и теперь Ира сходила с ума уже от одной только мысли, что ее муж «временно недоступен» по телефону. Ей необходимо было постоянно ощущать, что он рядом, он в пределах досягаемости, что достаточно только позвонить — и он сразу же примчится и все организует, а без него и его помощи ребенок непременно умрет. Это был типичный невроз, но о том, чтобы идти к специалисту и принимать какие-то меры, Ирочка и слышать не хотела. Строго говоря, она была нездорова, и с этим приходилось считаться не только Михаилу, но и многим окружающим. В том числе Владиславу Стасову, чья жена Татьяна приходилась Ирочке Доценко родственницей и не могла безразлично относиться к ее проблемам.

Одним словом, в командировку Михаилу не ехать — и это главное. А все остальные решения пусть Стасов принимает сам.

* * *

Большой черный джип подрезал Настин «Пежо» и помчался вперед. Настя резко затормозила и сердито посигналила сидевшей за рулем джипа молоденькой девице, которая вела машину одной рукой, потому что другой прижимала к уху мобильный телефон. Старалась девица напрасно: на ближайшем светофоре ее громоздкий автомобиль оказался рядом с «Пежо», и Настя с упреком посмотрела на хозяйку джипа. Та ответила взглядом, в котором недвусмысленно читалось: «Старуха! Тебе давно на свалку пора, а ты туда же, за руль уселась, как порядочная».

Насте на мгновение стало неприятно, но она быстро отвлеклась и вернулась к своим размышлениям. После возвращения из Руновска она навела справки о родителях тех мальчиков, которых после несчастного случая оперировал доктор Евтеев и которые скончались в больнице. Мог ли кто-то из родителей отомстить врачу, пусть и через много лет?

Мать Миши Савиных — инвалид, после гибели сына у нее случился инсульт, от которого она полностью так и не оправилась. У Зои Петровны пострадала левая половина тела, плохо работают рука и нога, нарушена речь, и вряд ли она стала бы нанимать человека, который поедет в Южноморск убивать доктора. Она много и плодотворно работает, она постоянно окружена людьми, у нее есть сын от первого брака и внучка четырнадцати лет. Нет никаких оснований подозревать ее в том, что именно сейчас в ней созрела идея отмщения. Если бы хотела мстить, сделала бы это уже давно. Лешка ведь сказал: ищи человека, который либо долго отсутствовал, либо в его жизни образовалась невосполнимая пустота. А Зоя Петровна Савиных под эту характеристику никак не подходила. Ее сын, старший брат Миши, — успешный бизнесмен и политик, ему заниматься местью за смерть брата тоже вроде бы ни к чему, у Максима Крамарева все в полном порядке. Что же касается отца Миши, Всеволода Савиных, то он после смерти сына ушел от жены и вполне счастлив с новой семьей. Никто из них не годится на роль неудачника-мстителя. И потом: для того чтобы мстить Евтееву за смерть мальчика, нужно быть абсолютно уверенным в том, что имела место грубая врачебная ошибка со стороны хирурга, приведшая к летальному исходу прямо во время операции. Ни о чем подобном речи не было, во всяком случае, в руновской больнице Настя об этом не слышала ни слова.

Что же касается второго мальчика, Юры Петракова, скончавшегося в реанимации спустя несколько дней после операции, то его мать покончила с собой много лет назад, а отец неизвестен. Во всяком случае, в официальных документах о рождении Юры вместо имени отца стоит прочерк, но мать-то наверняка знала, кто он. Отец Юры — единственный реальный претендент на роль мстителя, и надо приложить все усилия к тому, чтобы его найти. Петраков приехал в пионерский лагерь из Перми, во всяком случае, именно так утверждает бывшая пионервожатая. Значит, надо ехать в Пермь и искать родственников и знакомых матери Юры Петракова.

Сегодня утром Настя доложила результаты своих изысканий Стасову, и тот дал добро на поездку, а ближе к вечеру, когда Настя уже взяла билет на самолет и ехала домой собирать вещи, позвонил ей и попросил зайти в Пермский драмтеатр и поузнавать насчет Славомира Ильича Гашина.

— Что именно узнавать-то? — недовольно спросила она.

Звонок Стасова застал ее в универсаме, где Настя покупала продукты и при этом мучительно пыталась вспомнить, что у нее дома есть, а чего нет. Тележка уже была полна пакетов и упаковок, а все равно ее преследовало ощущение, что на ужин есть будет нечего.

— Надо выяснить, не было ли у него контактов с неким Разуваевым. Запомнила фамилию?

— Запомнила. О каких контактах речь? О любых? Стасов, говори быстро и внятно, я в магазине, мне неудобно разговаривать.

— Если быстро — тогда просто выясни, не пересекались ли они где-нибудь и когда-нибудь. Имей в виду, в драмтеатре этого могут не знать. Тебе придется пройти весь путь по отслеживанию круга общения Гашина.

— Погоди, ты мне совсем голову заморочил! — Она с досадой швырнула обратно в холодильник упаковку замороженной овощной смеси. — Гашин же химик, при чем тут драмтеатр?

— А тебе Доценко разве не сказал? — безмятежно отозвался Стасов. — Он никакой не химик, он драматург из Перми. У нас с Мишкой созрела версия, что он обладает неким компроматом на некоего Разуваева. Ты чем там занимаешься, я не понял? Чего ты так пыхтишь? Колесо, что ли, меняешь?

— Продукты выбираю, — огрызнулась Настя. — Сто раз себе говорила: не ходи в магазин голодной, а то накупишь всякой ерунды, из которой потом обед не приготовить. Слушай, а что это у тебя, как Евтеева — так Пермь? У меня заказ Евтеевой — я туда еду, у Мишки тоже заказ Евтеевой — и у него там интерес. Тебе это нравится?

— Нет, — быстро ответил Владислав Николаевич. — И мне не нравится...

— ...когда тебе что-то не нравится, — подхватила Настя. — Я все поняла, а теперь не мешай мне делать покупки, у меня дома муж, и его надо кормить. Люблю, целую, Каменская.

В общем, несмотря на мощные интеллектуальные усилия, она все равно накупила массу ненужного, но ужасно вкусного, такого, чем нельзя заменить обед или ужин, но чем так приятно хрустеть и закусывать, сидя перед телевизором или болтая с мужем о прожитом дне и строя планы на день предстоящий. «В конце концов, — утешала себя Настя Каменская, перегружая покупки из тележки в багажник «Пежо», — прелесть семейного уюта не только в сытной плановой еде, но и в таких вот посиделках вдвоем перед экраном или за болтовней. Эти посиделки даже ценнее вовремя поданного ужина».

Она попала в пробку и теперь медленно ползла по Стромынке, мысленно составляя план работы в Перми. Отъезд завтра, послезавтра она начнет собирать информацию, то есть закинет местным милиционерам вопрос о Петраковой, и пока они будут отрабатывать стасовские деньги, отправится в драмтеатр. Заодно и культурки поднаберется.

Когда она наконец добралась до дома, Чистякова еще не было. Разложив купленные продукты на кухонном столе, Настя задумчиво оглядела их, что-то поприкидывала, потом решительно убрала в холодильник и в шкаф все, кроме упаковки чернослива с грецкими орехами, сварила себе кофе и устроилась на диване в комнате. Через двадцать минут кофе оказался выпит, коробка с черносливом опустела, а Настя Каменская все продолжала мучиться мыслью о том, где же и при каких обстоятельствах она слышала фамилию «Разуваев».

* * *

В Пермском драмтеатре Настя первым делом разыскала заведующего литературной частью — немолодую статную даму с пышным начесом и маленькими глазками за стеклами очков в давно вышедшей из моды большой пластмассовой оправе.

— Гашин? — переспросила она, почему-то обрадовавшись. — Ну конечно, у нас в театре его хорошо знают. Он много писал о наших спектаклях, он вообще очень известный в городе театральный обозреватель и критик, у него когда-то даже своя колонка была в нашей местной газете. А что случилось? Зачем вам понадобился Славик?

— Славик? — удивленно повторила Настя следом за ней. — Вы так близко его знаете?

— Ну, не то чтобы близко, просто очень давно, — улыбнулась завлит. — Он впервые написал о театральном спектакле лет тридцать назад, я тогда только-только окончила институт и работала редактором в журнале, а он принес свой материал. Так мы и познакомились. Я ведь не сразу стала завлитом, пришлось редактором работать, потом... Ну, впрочем, это неважно, не обо мне речь. Так вот, когда я пришла в наш драмтеатр, Славик уже был здесь своим человеком, ходил на спектакли, на репетиции, писал рецензии. Он даже пьесу написал, но мы ее не приняли. Слабовато. Хотя в Красноярске ее поставили, и она даже шла три или четыре сезона. А уж когда у него начался роман с Викой, он вообще отсюда не вылезал, каждый божий день приходил.

— С Викой? Кто это?

— Виктория Петракова, наша первая красавица. Пойдемте в фойе, там висят фотографии актеров, я вам Вику покажу. Редкой красоты была женщина.

Настя двигалась за дамой-завлитом как в полуобмороке. Неужели все оказалось так просто? Гашин — отец мальчика Юры, сына Виктории Петраковой. Вот и сошлись все концы. Ах, раздобыть бы фотографию Гашина и показать сиделке Яне! А вдруг это окажется тот самый Владимир, который так элегантно познакомился с ней и пригласил поесть вкусных пирожных в кафе «Джоконда» на южноморской набережной?

От кабинета завлита до фойе путь оказался неблизким, и Настя вполне успела прийти в себя и сосредоточиться, когда ей стали показывать фотографию Виктории Петраковой, которая и впрямь оказалась редкостной красавицей.

— А где сейчас Виктория?

Настя сделала вид, что ничего не знает о самоубийстве матери Юры Петракова.

— Умерла, — вздохнула завлит. — Это была очень грустная история. После несчастья Вика страшно запила, винила во всем Гашина и в конце концов покончила с собой. Славик тогда страшно переживал, для него это было огромным потрясением, ведь он очень любил Вику.

— А что случилось у Виктории? Почему она во всем винила Гашина? — спросила Настя.

— Ах да, вы же не в курсе... Извините, — смутилась завлит, — я как-то привыкла, что все знают. Дело в том, что у Вики был сын, она родила совсем молоденькой, и мы даже не знали, кто отец ребенка. Когда в ее жизни появился Славомир, мальчик его сразу невзлюбил. Отношения у них никак не складывались, и Вика из-за этого нервничала. Она хотела, чтобы они все втроем поехали летом в отпуск, но сын заупрямился, не хочу, говорит, ехать с этим козлом, и все тут. Пришлось отправить Юрочку в пионерлагерь, а Вика со Славиком махнули на Кавказ, на какую-то горную турбазу. Юрочка в лагере пошел с друзьями кататься на лодках, там произошел несчастный случай, мальчик упал в воду, получил травму черепа и через несколько дней умер в местной больнице. Вику даже не сумели вовремя разыскать, так что сына в живых она уже не застала. Так вот, понимаете ли, Вика считала, что если бы Гашин вел себя с ребенком как-то по-другому, то отношения у них могли бы сложиться, и тогда мальчик поехал бы с ними отдыхать и никакого несчастья в лагере не случилось бы.

Значит, Гашин не отец Юры Петракова... Значит, конструкция должна быть какой-то другой... Но что-то мешает сосредоточиться и быстро придумать нужные вопросы, что-то мечется в мозгу, какая-то мысль, какая-то догадка... Вот она! Настя невольно улыбнулась.

— Простите, я так разволновалась, слушая вас... Где у вас тут можно курить?

— Пойдемте, я провожу вас, у нас тут зрительская курилка рядом.

Они прошли в другой конец фойе и свернули в нишу, задрапированную бархатной шторой, за которой оказалась дверь в курилку. Настя уселась на стул с потертой обивкой, вытащила сигареты и с наслаждением сделала затяжку. Вот оно как получается! Разуваев... Она вспомнила, где слышала эту фамилию еще до того, как Стасов позавчера давал ей задание. Именно такой была фамилия того самого директора средмашевского предприятия, который тогда отдыхал на закрытых обкомовских дачах и которого усиленно пасли офицеры КГБ. Однако для того, чтобы быть кому-то деловым или политическим конкурентом, этот Разуваев, пожалуй, староват, ведь стать в тридцать лет директором предприятия в те времена он не мог, ему было как минимум пятьдесят, когда произошел несчастный случай на водохранилище. Может быть, речь идет о его сыне? Но каким образом этому сыну может помешать информация о том, что его отец когда-то отдыхал там, где произошло несчастье с подростками? Какая связь?

Пока что понятно одно: сын Виктории Петраковой получил тяжелую травму и скончался в больнице, и Славомир Гашин вполне мог считать доктора Евтеева виновником смерти ребенка, дескать, плохо сделал операцию, чего-то недосмотрел, не предпринял всего, что можно и нужно было. Одним словом, мотив для убийства Евтеева у него был. Но почему спустя двадцать пять лет? Почему не сразу?

А потому. Потому что Гашин только сейчас узнал что-то такое, что позволяет ему обвинять доктора Евтеева, и это «что-то» должно быть напрямую связано с Разуваевым.

Настя погасила окурок в пепельнице и вышла в фойе, где завлит ждала ее, оживленно беседуя о чем-то с одетой в униформу женщиной-капельдинером.

— Простите, у вас нет фотографии Славомира Ильича? — спросила Настя.

— Нет, откуда же...— растерялась завлит. — Впрочем, можно посмотреть в нашем музее, там есть снимки, сделанные на премьерах, а Славик на все наши премьеры много лет ходил. Портретного снимка не обещаю, его почти наверняка нет, а вот какой-нибудь групповой может и найтись.

— У вас и музей свой есть? — удивилась Настя.

— А как же! — горделиво ответила завлит.

Они снова пошли длинными запутанными переходами, и наконец Настя оказалась в просторной комнате, увешанной афишами и фотографиями и заставленной манекенами в сценических костюмах и париках. Она без труда опознала Марию Стюарт, Раневскую, Дездемону и Чацкого, все остальные персонажи остались для Насти загадкой. Завлит медленно шла вдоль стен, разглядывая фотографии.

— Вот, нашла! Идите сюда, вот Славик, третий слева, рядом с Георгием Симоновичем, это наш режиссер. А вот и Вика здесь же, эта фотография была сделана после премьерного спектакля «Отелло», Вика играла Дездемону. А вот, кстати, и ее костюм, мы его сохранили.

Завлит указала на один из опознанных Настей манекенов. Но Настя даже головы не повернула, глаза ее были прикованы к фотографии, к третьей фигуре слева. Бесспорно, красивый молодой человек, длинные волосы, усы. Но снимок сделан четверть века назад. Каким он стал сейчас? Поседел, постарел, сбрил усы или, наоборот, вдобавок к усам отрастил бороду? Да и мелкое изображение, групповой снимок, формат девять на двенадцать, что на таком разглядишь?

* * *

Шли дни, а душевная боль не уходила и не притуплялась, и Валентина Евтеева уже не могла с ней справляться. Она каждую минуту ждала, что позвонит Стасов и торжествующим голосом скажет, что задание выполнено, и продиктует ей адрес. Она немедленно поедет, найдет Славомира и объяснится с ним, попросит прощения...

274

Но ничего не происходило, Стасов почему-то не звонил, и Валентина начала терять терпение.

Она маялась, слонялась по дому и участку, совсем перестала выходить на прогулки в лес, не смотрела телевизор — ей все было неинтересно. Наконец она набралась смелости и обратилась к Нине Сергеевне:

— Вы не могли бы спросить у Максима Витальевича, где Гашин?

Нина Сергеевна глянула сердито, видно, собралась сказать что-то резкое, но передумала и сочувственно улыбнулась.

— Деточка, я тебе уже объясняла: это Москва. Здесь совсем другие законы. У нас главное — не нарушать дистанцию, иначе отношения мгновенно разрушаются. Я понимаю, как тебе тяжело и как ты мучаешься, но и ты меня пойми. Я дорожу работой у Крамарева, потому что она, во-первых, по моей специальности и я ее люблю, во-вторых, мне хорошо платят, и в-третьих, она близко от моего дома. Такой работы я никогда и нигде больше не найду. Поэтому отношениями с хозяевами я дорожу больше, чем отношениями с тобой. Ты уж не обижайся, но я говорю тебе все как есть, чтобы не было недомолвок.

— Но что же мне делать?! — в отчаянии воскликнула Валентина. — Я уже вся извелась, измаялась, я сон потеряла! Должен же быть какой-то выход!

— Должен, — согласилась Нина Сергеевна. — Просто ты его не видишь.

— А вы видите? — спросила Валентина с вызовом.

— Я — да, вижу.

— Ну так скажите.

— Еще рано, — загадочно ответила Нина Сергеевна. — Ты еще не готова.

— К чему я не готова?

— К таким решениям. Ты своему частному детективу давно звонила?

— Три дня назад. Он сказал, что пока нет ничего нового.

— Ну так позвони еще раз сегодня. От тебя не убудет.

Валентина недоуменно пожала плечами и сердито посмотрела на Нину Сергеевну. Что она имеет в виду? К каким решениям она не готова? И почему не готова?

Но Стасову она все-таки позвонила.

— Мне пока нечем вас порадовать, — сдержанно ответил он. — Вы напрасно беспокоитесь и звоните сами, я же сказал вам: как только будет результат — мы вам сообщим.

В общем, ничего нового Валентина не услышала, однако голос Владислава Николаевича ей не понравился. Раньше он разговаривал с ней совсем иначе, не скрывал своей радости от того, что слышит ее, шутил, говорил комплименты, и голос его возбужденно вибрировал. А сегодня он был с ней сух и строг, словно она в чем-то провинилась. Может быть, все дело в том, что Нина Сергеевна права и она, Валентина, нарушает дистанцию и ведет себя как-то неправильно, не по-московски?

Расстроенная еще больше, она ушла в свою комнату, легла на кровать поверх покрывала и уставилась в потолок. Сколько дней прошло с того момента, как Славомир был здесь, рядом с ней, лежал на этой кровати и обнимал ее? Совсем немного. Или много? Она так настрадалась за эти дни, что ей кажется — прошла целая вечность. И одновременно кажется, что все случилось только вчера — настолько живы и горячи воспоминания об их последнем свидании. Есть ли смысл его разыскивать, если прошло много времени? Может быть, он уже давно забыл ее, выбросил из головы, как выбрасывают в мусоропровод ненужную старую вещь. Но если прошло совсем мало времени, то нужно ли расстраиваться из-за того, что Гашина до сих пор не нашли? Не нашли, потому что просто не успели. Как правильно думать, чтобы стало легче?

* * *

В субботу, 29 мая, Борис Кротов запер дом, сел в машину и поехал в Москву. Криминальный авторитет Артур назначил ему встречу в ресторане, который ему же и принадлежал. Хан тщательно готовил Бориса к разговору с Артуром, особенно напирая на то, что Артур ни за что не должен догадаться, откуда у Бориса сведения о его «крыше».

— Ты ни от кого не мог этого узнать, только от меня, — несколько раз повторил Алекперов. — А наш с тобой контакт должен для всех остаться тайной. Я тебя прошу, Кротов, будь предельно внимательным, обдумывай каждое слово, взвешивай каждый звук, который будешь произносить. Артур страшно подозрителен и недоверчив, но у него есть слабое место, на котором можно сыграть: он невероятно тщеславен по части власти, авторитета и полномочий. Напирай на это — не прогадаешь.

С Артуром Кротов был знаком не очень хорошо, их когда-то представили друг другу, потом они несколько раз пересекались на тусовках у разных людей, а потом Артур пригласил Кротова на рандеву и заказал ему портрет своей нынешней подружки, той самой, которая теперь исправно ездила к Борису на сеансы. Вот, собственно, и все знакомство.

Кротов подъехал к ресторану, вышел из машины и немедленно попал в объятия широкоплечего бодигарда, который тут же авторитетно заявил, что ресторан закрыт и откроется только в семь вечера, и делать здесь Кротову совершенно нечего. Последовал обмен репликами, в результате которого Бориса проводили на второй этаж в кабинет хозяина, вкушающего обед.

Сорокасемилетний Артур, невысокий, полноватый, плешивый, с маленькими усиками, респектабельный и очень обаятельный, стремился придерживаться мировых стандартов «здорового образа жизни» и «здорового питания». У него были собственные представления об этих стандартах, и никто не мог сказать точно, насколько они отличаются от настоящих, действительно «мировых». Едва войдя в помещение, Кротов сразу окинул взглядом стол и с трудом удержался от гримасы: вареная спаржа, сельдерей ломтиками, помидоры-черри, стручки зеленого горошка, мини-кукуруза.

— Заходи, — Артур сделал гостеприимный жест, — присоединяйся, пообедай со мной чем бог послал.

Борис крепко пожал протянутую руку с жесткой ладонью и сел напротив.

— А что тебе бог сегодня послал? — насмешливо спросил он.

Артур едва шевельнул бровями, и стоящий за его спиной официант немедленно доложил:

— Суп-пюре из лука-порея и соевые спагетти с запеченными на гриле баклажанами. Десерт — суфле из обезжиренного йогурта со свежей клубникой.

— Вот десерт я, пожалуй, съем, — кивнул Борис. — Для всего остального нужна такая сила воли, как у тебя, Артур. Я такой волей похвастаться не могу.

Артур самодовольно ухмыльнулся и отправил в рот дольку сельдерея.

— Сила воли — залог здоровья и долгой жизни, — поучительно произнес он. — Ну, рассказывай, какие у тебя проблемы, зачем встречу просил. Или на бабу мою нажаловаться хочешь? Достала она тебя?

— Что ты, — улыбнулся Кротов, — с ней все в порядке, никаких претензий.

— А то смотри, если эта дура себя неправильно ведет и капризы разводит, так ты не сомневайся, чуть что — сразу по соплям, без церемоний. Нечего с ней цацкаться, пусть знает свое место.

— Нет-нет, Артур, с ней все в порядке.

— Ну ладно. Портрет-то скоро будет готов?

— Скоро. Я думаю, еще пара сеансов — и все. Ну максимум — три.

Артур доел лежащую на тарелке вареную спаржу и велел официанту подавать суп.

— Ну, излагай, что там у тебя стряслось.

Борис постарался быть предельно кратким и четким, ни слова про убийство матери и подметные письма, только сухая и сжатая просьба помочь найти информацию о сотруднике Комитета госбезопасности, который в середине восьмидесятых контактировал с его матерью Ларисой Кротовой.

Официант принес суп, Артур съел несколько ложек и жестом отослал молодого человека. Когда они снова остались вдвоем, спросил:

— Зачем тебе эта информация? Я в принципе могу помочь, но я, знаешь ли, не люблю, когда меня используют втемную, как болванчика.

— Да я не хотел тебя грузить...

— А ты грузи, грузи, — усмехнулся Артур, снова берясь за ложку. — Ты грузи, а я послушаю, заодно и поем пока.

Он принялся с аппетитом прихлебывать суп из лука-порея, при одном только виде которого Бориса затошнило. Кротов начал рассказывать.

— И знать это все может только человек, который в этом участвовал непосредственно, — закончил он рассказ. — Он и пишет мне эти письма. И я хочу его найти. Поможешь?

— Ай-яй-яй, — Артур поцокал языком и покачал головой, — какое горе, какое горе! Такой маленький мальчик — и пережил такую страшную трагедию.

Лицо его стало мягким, и Борису даже в какой-то момент показалось, что Артур сейчас заплачет, но в то же мгновение глаза его собеседника вновь стали жесткими и колючими.

— А почему ко мне?

— Что? — не понял Кротов.

— Почему ты со своей просьбой пришел именно ко мне?

Ну, вот он, тот самый вопрос, о котором предупреждал Хан.

— А к кому еще мне идти? Из всех, кого я знаю, ты самый авторитетный, у тебя самые широкие знакомства. Если кто и может подсказать, к кому мне обратиться, так только ты. И я прошу тебя не просто подсказать мне, кто может добыть эту информацию, но и походатайствовать за меня. Тебя уважают, тебе не откажут.

Глазки Артура удовлетворенно блеснули. Он доел последнюю ложку супа и отодвинул тарелку.

— Уноси! — крикнул он, и из-за прикрытой двери немедленно показался молоденький официант с подносом, на котором дымилась тарелка тонких полупрозрачных макарон с овальными кусочками баклажанов.

Пустая тарелка моментально исчезла со стола, и Артур приступил к следующему блюду. Он ловко наматывал спагетти на вилку, помогая себе ложкой, а Кротов терпеливо ждал.

— Ты правильно сделал, что обратился именно ко мне, — сказал наконец Артур. — Я тебе помогу. Не обещаю, что быстро, это не от меня зависит, надо переговорить с разными людьми, перетереть. Тема щекотливая, сам понимаешь.

Но с другой стороны, прошло столько лет, что теперь нет смысла делать из этого секрет. Страна другая, политика другая, люди другие. Думаю, ты узнаешь то, что тебе нужно. Это, конечно, будет стоить, но я сам расплачусь, пусть тебя это не волнует. Считай, это мой тебе подарок за портрет, типа бонуса. А ты будешь мне должен, постарайся об этом не забыть.

— Да что с меня взять? — улыбнулся Кротов. — Чем я могу быть тебе полезен?

— Ну, мало ли, — хмыкнул Артур. — У тебя в мастерской много кто бывает. Мало ли что мне понадобится. Отработаешь.

Кротов слишком много общался с людьми, подобными Артуру, чтобы не понимать: никому он платить не будет, ему и так все скажут, между криминальным авторитетом и «крышей» всегда существует система взаимозачетов услугами и одолжениями, эдакий невещественный бартер. В рамках такого бартера Артур и получит нужную Кротову информацию. Зато теперь будет повод поговорить о бонусе как о свидетельстве широкой Артуровой натуры.

Глава 15

Вернувшись из поездки в воскресенье утром, Настя Каменская нырнула в постель и провалялась до утра понедельника. Она добросовестно сделала попытку доложить Стасову результаты, но тот даже слушать не стал:

— Гришка навернулся с велосипеда и сильно расшибся, мы с Таней сейчас везем его в травмпункт. Завтра, все завтра, а сегодня не дергай меня.

Гришу было, конечно, жалко, но и отдохнуть хотелось, поэтому Настя с чистой совестью позволила себе поваляться и выспаться. Да и докладывать на свежую голову всегда лучше.

В понедельник она явилась в кабинет Стасова и тревожно взглянула в лицо шефа. Лицо было спокойным и, как обычно, слегка насмешливым, и это означало, что с мальчиком все в порядке. Ссадины, ушибы, разбитые коленки и локти, но чье детство обошлось без этого? Пожалуй, только Настино, потому что у нее никогда не было велосипеда.

— Мое дело и дело Доценко срослись, как сиамские близнецы, — заявила она. — Помнишь, после возвращения из Руновска я рассказывала тебе про трех мальчиков, погибших в результате несчастного случая на воде? Так вот, твой Гашин был любовником матери одного из них, Юры Петракова. Юра умер в больнице после операции, которую проводил доктор Евтеев, и у Гашина, по-видимому, есть какие-то основания полагать, что доктор проявил халатность и не спас ребенка, хотя имел возможность это сделать. Уж какие это основания и почему они появились именно сейчас — это другой вопрос.

Стасов помотал головой, будто стряхивал с нее невидимую паутину.

— Каменская, у меня голова забита информацией по всем делам, которые ведет наша контора. Я вчера перепсиховал и вечером, когда выяснилось, что с Гришкой все обошлось, позволил себе расслабиться. Поэтому сегодня с утра я соображаю как-то не очень. Напомни, о чем звуки речи.

Настя вздохнула и терпеливо повторила рассказ о происшествии на водохранилище.

— Один из мальчиков, Витя Сорокин, утонул сразу, второй, Миша Савиных, скончался на операционном столе, а третьим как раз был Юра Пет...

— Стоп! — заорал Стасов, стискивая виски ладонями. — Давай еще раз помедленнее.

— Стасов, с тобой все в порядке? — озабоченно спросила Настя. — Может, мне лучше зайти попозже?

— Сиди смирно и медленно повторяй то, что ты только что сказала, — потребовал Владислав Николаевич.

— С какого места?

— Последнюю фразу. Один из мальчиков... как там дальше?

Настя добросовестно повторила собственные слова. На этот раз Стасов оборвал ее, едва она произнесла имя Миши Савиных.

— Сошлось, — пробормотал он. — Вот теперь все сошлось.

— Что у тебя сошлось?

— Настюха, ты что, не въезжаешь? Савиных же!

— И что? Ну, Савиных.

— Ты знаешь, чей он брат?

— Знаю, — пожала плечами Настя, открывая блокнот. — Вот, у меня все записано: мать — Савиных Зоя Петровна, в первом браке — Крамарева, имеет старшего сына Максима Крамарева, главу фармацевтического концерна и кандидата в депутаты Мосгордумы.

Стасов долго смотрел на нее, потом потянул себя за волосы в разные стороны, отчего стал похож на возмущенного ежа.

— Ну да, ты же не в курсе, это Доценко знает, а ты...

— Чего я не знаю? — напряглась Настя.

— Да того, что наш любезный друг Гашин до своего исчезновения жил в доме Максима Крамарева.

Да, Миша Доценко упоминал о том, что пропавший Славомир Ильич Гашин жил у своего знакомого в Подмосковье, но имени не называл, потому что обсуждал в тот момент с Настей чисто психологические вопросы. Речь шла о книге, которую Гашин хотел бы написать, а вовсе не о том, в чьем конкретно доме он проживал, пока не пропал невесть куда.

— Ничего себе! — протянула она изумленно. — Это что же получается, группа мстителей?

— Не удивлюсь, если фамилия той пожилой пары — Сорокины, — выдал Стасов загадочную фразу. — Петраков, Савиных и Сорокин. Гашин, Крамарев и супруги Сорокины.

Натолкнувшись на озадаченный взгляд Насти, он снова принялся терзать собственные волосы и ругать себя за то, что в голове у него все перепуталось, и он уже не может вспомнить, кто из его подчиненных какой информацией владеет. Напричитавшись досыта, он пересказал Насте показания Валентины Евтеевой и учительницы арабского Ольги Константиновны о некой паре пожилых людей, которые периодически приезжали в дом Крамарева и с которыми Максим Витальевич проводил секретные совещания в гостевом домике у Гашина.

— Действительно, похоже на группу мстителей, — согласилась Настя. — Только непонятно, кому, за что и почему спустя четверть века? И при чем тут Сорокины? Если предположить, что месть направлена на доктора Евтеева, то Сорокины не должны в этом участвовать, их мальчик утонул на месте, Евтеев его не лечил. И потом, если бы единственной целью был Евтеев, группа распалась бы сразу после его убийства, а они продолжают собираться и разводить секреты.

— Значит, есть что-то еще, — задумчиво проговорил Стасов. — Есть еще какая-то цель. И я сильно подозреваю, что эта цель — Павел Разуваев, который очень мешает как бизнесу Крамарева, так и его политической карьере. Отец Разуваева как-то связан с историей гибели детей. Он имеет к этой истории какое-то отношение.

— Но какое? Стасов, я не могу придумать тебе с ходу ни одного объяснения, которое ложилось бы в эту конструкцию. Мальчики угнали два плавсредства, не справились с управлением и погибли. Рядом на даче отдыхал Разуваев-старший. Что здесь может быть такого, что позволило бы Крамареву справиться с конкурентом?

— Не знаю. Но надо найти тех, кто может знать. Ты, кажется, что-то говорила об офицерах, которые сопровождали Разуваева во время отдыха... Или мне кажется?

— Нет, — Настя снова полистала свой блокнот, — тебе не кажется. Были два комитетчика, которые торчали в больнице до самого конца и очень переживали за мальчиков, потому что все случилось у них на глазах. Это именно они кричали в мегафон, чтобы ребята вернулись к берегу, и напугали мальчишек.

— Имена есть? — коротко спросил Стасов.

— Геннадий Антонович Кузьмин и Николай Павлович Самосадов. Кстати, я видела фотографию Гашина в молодости, он был очень эффектным кавалером. Если он не утратил свою привлекательность, то неудивительно, что твоя дорогая заказчица Евтеева потеряла голову.

— Кстати? — хитро прищурившись, переспросил Стасов. — Ну, если кстати, то можешь посмотреть, каков он сейчас, мне Доценко раздобыл его фотографию.

Она протянул Насте распечатанный с компьютера снимок, и у нее в памяти немедленно всплыло описание, данное сиделкой Яной и записанное Чистяковым. Что ж, надо признать, словесный портрет Яна дала отменный, у нее определенно талант к этому.

— Стасов, это он, — сказала Настя уверенно. — Можешь считать, что первый заказ Евтеевой ты успешно выполнил.

* * *

Полковник Алекперов сидел в машине и задумчиво рассматривал большой «сталинский» дом. В этом доме проживает Геннадий Антонович Кузьмин, а Хан любил сам все осмотреть на месте, прежде чем что-либо предпринимать. Хорошо бы и на Кузьмина этого взглянуть... Кузьмин Геннадий Антонович. Именно это имя назвал Кротову криминальный авторитет Артур после того, как «перетер тему» с нужными людьми. Хан не сомневался: Кузьмин — автор писем, которые получал Кротов.

Значит, дом — типичная «сталинка», вход в подъезды со двора, а со стороны улицы магазин итальянской сантехники, турфирма, книжный магазин, пиццерия. На противоположной стороне фитнес-клуб и...

Он отвлекся на машину, серебристый «Пежо», который притормозил у въезда в арку. За рулем сидела женщина, показавшаяся Хану знакомой. Елки-палки, да это же Каменская! А рядом с ней тоже кто-то, кого он знает, только не может сразу вспомнить. Но он совершенно точно встречал раньше этого здоровенного высоченного мужика, который вышел из машины и помог выйти Каменской. Они даже, кажется, когда-то вместе выпивали... Надо же, как иногда память подводит! Бывает, видишь человека и точно понимаешь, что знаешь его, встречал много раз, а мозги как будто переклинивает: не можешь вспомнить, где и когда. Но уж Каменскую-то он не забыл, и то слава богу.

Алекперов опустил стекло и крикнул:

— Анастасия!

Каменская вздрогнула, завертела головой, увидела машущего ей рукой Ханлара и радостно улыбнулась. Она и ее спутник двинулись к его машине, Хан вышел им навстречу.

— Какими судьбами? Я тебя недавно вспоминал, — сказал он. — Тебе Селуянов передавал от меня привет?

— Передал, спасибо. Вы знакомы?

Хан смущенно промолчал, а высоченный широко развел руки и засмеялся.

— А як же ж! Правда, это было давненько, но я тебя хорошо помню, Ханлар Алекперов. А ты меня, поди, забыл?

И тут он вспомнил.

— Стасов! Владик! А я смотрю — рожа до боли знакомая, а вот чья — никак не соображу. Надо же, какая встреча!

Он был искренне рад. О совместной работе с Каменской у него остались самые позитивные воспоминания, а уж сколько водки было по молодости лет выпито в одной компании операми Алекперовым и Стасовым — об этом даже упоминать неприлично.

— Вы в эти края по делу или так, погулять? — спросил Хан.

— По делу, но поскольку оно частное, а не государственное, то можно считать, что погулять, — смеясь, объяснил Стасов. — А ты небось по царевой нужде здесь землю топчешь?

— Небось, — уклончиво подтвердил полковник. — Кстати, Настя, с тебя коньяк, я твоему дружбану Селуянову убийство почти раскрыл.

— А почему с меня, а не с него? — запротестовала Настя. — Мы с ним теперь в разных упряжках, ты нас в одну кучу не вали.

— Ну да, — кивнул Хан, — он говорил, что ты в частный сыск подалась. Не жалеешь?

Каменская кинула быстрый взгляд на Стасова, и у Хана возникло мимолетное ощущение, что он спросил что-то не то.

— Нет, — ответила она, чуть помедлив. — Не жалею. Как представлю, что пришлось бы писать рапорт о продлении срока службы, а потом мне его завернули бы, так повеситься хочется. Лучше уж самой уйти, не дожидаясь, пока тебя невежливо попросят.

— Думаешь, попросили бы?

— Сто процентов. Мне через две недели полтинник стукнет. А я занимала полковничью должность, на которую и другие желающие были, помоложе и получше в смысле полового признака. Ладно, не будем о грустном. Ты лучше скажи, ты в этом доме кого-нибудь знаешь? Нас интересует некто Кузьмин Геннадий Антонович. Не слыхал про такого?

Хан в первый момент онемел, потом долго откашливался.

— А зачем он вам?

— Хороший вопрос, — усмехнулся Стасов. — Судя по нему, ты Кузьмина знаешь. Давай-ка не темни, у нас дело серьезное.

— У меня тоже. Пошли сядем в машину, поговорим.

Через час, обменявшись информацией, они пришли к выводу, что Каменской и Стасову соваться к Кузьмину нельзя. Идти к нему лучше всего Борису Кротову. Если Геннадий Антонович затеял всю эту возню с письмами ради денег, то за деньги он все и расскажет, а сыщики, что государственные, что частные, от него все равно ничего не добьются.

* * *

Ослепительно улыбающаяся Анита Экберг спускается по трапу самолета к толпе беснующихся журналистов.

— Вы спите в пижаме или в ночной рубашке? — спрашивает какая-то журналистка.

Ардаев мечтательно улыбнулся. «Сладкую жизнь» Феллини он впервые увидел в семьдесят восьмом году на закрытом служебном показе, и именно этот эпизод особенно остро кольнул его тогда: если журналисты могут ТАМ задавать такие вопросы, то до какой же степени другой у них менталитет и насколько же другая ТАМ жизнь! О том, что в Западной Европе   жизнь не такая, как в Советском Союзе, он, конечно же, прекрасно знал, это знание было частью его профессии, но все равно «Сладкая жизнь» не то что перевернула его представления, нет, а осветила эту другую жизнь каким-то новым светом.

Когда цензура кончилась и стало возможным покупать и смотреть дома любые фильмы, Ардаев первым делом начал покупать именно Феллини. Он плохо понимал такое кино, и не сказать, чтобы оно ему сильно нравилось, но еще с молодости, с того самого закрытого просмотра, именно этот режиссер стал для него символом настоящей красивой жизни, которую Ардаев так любил до сих пор. И сейчас он любил ее даже больше, чем в молодости, потому что в молодости о ней можно было только мечтать, а сейчас ею можно было жить. Только для этого нужны деньги, желательно — много.

Но деньги скоро будут. К сожалению, не такие большие, как он надеялся, потому что от Ларисы Кротовой, вероятнее всего, ничего не осталось. А если и осталось, то найти это будет очень трудно и потребуется немало времени, а Максим долго ждать не может, ему материалы нужны как можно скорее. Если он не получит их в ближайшее время, пока не закончилась предвыборная кампания, то надобность в них отпадет совсем, и тогда Крамарев никаких денег не заплатит, даже если материалы найдутся.

Но есть еще Кротов, Сашка Кротов, который обязательно заплатит за правду о смерти своей матери. Конечно, меньше, чем заплатил бы Крамарев за материалы по Разуваеву, несравнимо меньше, но и это деньги. На них можно какое-то время пожить, а потом приложить все-таки усилия к поиску того, что спрятала Лариса, и продать кому-нибудь, а может, и самому Разуваеву.

Ардаев раскурил сигару и отпил из рюмки небольшой глоточек дорогого коньяку. На экране продолжала разворачиваться «Сладкая жизнь», но он уже не следил за действием, углубившись в собственные мысли. Жаль, если не получится помочь Максиму Крамареву, Ардаеву он нравится, симпатичный мужик, толковый, деловой, только слишком нервный. Но это ничего, это простительно. Главное его достоинство в том, что он очень богат. И еще одно положительное свойство Максима: он точно знает свое место, он понимает, кто в их тандеме главный, а кто — пристяжной, и правильно выстраивает отношения. Достаточно только вспомнить, какой виноватый голос у него был, когда он позвонил в панике и сообщил, что Гашин напортачил — занялся самодеятельностью и придушил старого доктора. Максим тогда просил, чтобы Ардаев помог обезопасить и Гашина, и самого Крамарева. Ардаев воспользовался старыми связями и нашел в Южноморске вполне приличную парочку, подрабатывающую сбором информации и наружным наблюдением. Хорошая оказалась парочка, крепкая, надежная, вышла на следователя, который вел дело, сунула ему сколько надо и имела всю информацию, которая на том этапе была совершенно неопасной. Следствие пошло по самому простому пути, искали преступника, совершившего налет на квартиру с целью грабежа. Разумеется, никого не нашли. И теперь, когда в Южноморск нагрянули частные детективы, посланные дочкой убитого доктора, та парочка оказалась на высоте, вовремя и оперативно отреагировала на информацию следователя и сделала все, что могла. Только частные сыщики тоже не больно далеко продвинулись, ничего у них не вышло, а ведь они даже в Руновск съездили. Ну, как приехали — так и уехали, и в милицию не зашли, видно, совсем уж ничего узнать не удалось. Так что с этой стороны опасности ждать не приходится. Правда, они, частные эти сыщики, ребята настырные, даже бывшую пионервожатую отыскали, да только что она может знать? Ничего. И наверняка ничего не помнит. Ардаев видел ее тогда в больнице, заполошную, обезумевшую от ужаса, бестолковую, плохо соображающую, опухшую от слез. Спустя двадцать шесть лет она не может представлять никакой опасности. Как давно это было... Колька Самосадов пытался ее успокоить, она ему нравилась, пышная такая была девчушка, аппетитненькая, студенточка педагогического института, а она хоть и в полуобмороке была, а все больше на него, на Гену Кузьмина, поглядывала.

Да, она знала его как Кузьмина. Собственно, он и был Кузьминым, но в силу профессии у него бывало много разных имен, в том числе «Ардаев», которое он из своей прошлой жизни любил больше всех остальных. Именно под этим именем он однажды пришел к яркому успеху, и теперь, мысленно называя себя Ардаевым, он казался себе молодым, полным сил, талантливым и удачливым.

А настоящую свою фамилию он не любил. Она казалась ему совсем простой, неинтересной. Пресной.

Вот чего Ардаев-Кузьмин не выносил совершенно, так это пресности. И идея сделать из писаки Гашина выдающегося химика тоже принадлежала ему, Геннадию Антоновичу. Сперва в этом был свой резон: так легко и удобно было объяснить домочадцам Крамарева, почему Гашин живет у них в гостевом домике и почему не нужно лезть к нему с разговорами. Когда же Гашин под видом поездки домой, в Пермь, сбежал в Южноморск и натворил там дел, Кузьмин велел Максиму приставить к недотепе-драматургу охранников, которые следили бы за каждым его шагом и не давали скрыться, а то мало ли какая еще бредовая мысль заползет в непредсказуемую творческую голову. Вот тут легенда об ученом-химике, который заканчивает новейшую разработку для фармацевтического концерна Крамарева, оказалась весьма кстати, и наличие охранников ни у кого не вызвало вопросов. А ведь Ардаев-Кузьмин с самого начала чуял, что с этим доморощенным драматургом будут сложности, как, впрочем, и со всеми творческими личностями, которых ему приходилось встречать. Один черт разберет, что у них в мозгах делается.

Но зато история с Гашиным и влюбленной в него дочкой старого доктора оказалась отнюдь не пресной, так что в общем и целом Кузьмин не прогадал.

* * *

Время шло, где-то в комнате мерно тикали часы, и больше ни один звук не нарушал тишину. Кузьмин пил свой кофе совершенно беззвучно, а Борис Кротов так и не прикоснулся к чашке, напиток в которой уже, наверное, давно остыл.

Он пришел к Кузьмину, снаряженный микрофоном, с толстой пачкой денег в сумке. Геннадий Антонович был несказанно удивлен, увидев Кротова на пороге своей квартиры, но, надо отдать ему должное, быстро взял себя в руки. Как говорится, профессионализм не пропьешь.

— Как вы нашли меня, Борис? — спросил он, потом усмехнулся и добавил: — Я спрошу по-другому: как ты нашел меня, Сашенька? Впрочем, это неважно. Ты все равно скажешь мне неправду. Самостоятельно ты сделать этого не мог, тебе кто-то помогал, по-видимому, человек из милиции или из ФСБ, я угадал?

— Нет, — твердо ответил Кротов. — Вы не угадали. Но это действительно неважно. Вы хотели денег за информацию — я их принес и хотел бы выслушать вас.

— Ну что ж, пожалуйста. Проходи, Саша, садись, нам с тобой придется немного подождать.

— Чего мы должны ждать?

— Сядь, — спокойно проговорил Кузьмин. — Выпить хочешь?

— Я за рулем.

— Тогда и я не буду.

Он подождал, пока Кротов выберет одно из нескольких глубоких мягких кресел, потом уселся напротив и взял в руки телефонную трубку.

— Я, с твоего позволенья, сделаю один звонок.

Кротов молча кивнул, напряженно ожидая продолжения. Кузьмин набрал номер, бросил несколько коротких слов и улыбнулся.

— Я, Сашенька, готов ко всему, в том числе и к тому, что ты привел на хвосте милицию или моих бывших коллег, и даже к тому, что ты обвешан техникой, как новогодняя елка — игрушками. Но я не стану тебя обыскивать, чтобы выяснить, нет ли на тебе микрофона. Привлекать меня к уголовной ответственности не за что, я не сделал ничего противозаконного, я всего лишь выполнял приказы своего начальства. Информация, которую я собираюсь разгласить, не является государственной тайной. Но она стоит денег, и отдавать ее просто так я не намерен. Ты живешь хорошо, у тебя есть деньги, и ты ни в чем себе не отказываешь. Почему я должен жить иначе? Мы с тобой сейчас посидим, попьем чайку, сюда подъедет человек, заберет твои деньги, отвезет в банк, а как только деньги окажутся на моем счету и он мне позвонит, я тебе все расскажу. И пусть меня слышат все, кому это интересно.

Кротов молча рассматривал Кузьмина, пытаясь представить себе его молодым офицером, который был куратором его матери.

— Вы разговариваете со мной так, словно мы давно знакомы, — заметил он. — А ведь мы с вами видимся впервые.

Кузьмин рассмеялся:

— Это не так. Я помню тебя совсем маленьким. Мой коллега Николай Самосадов был хорошо знаком с твоей мамой и несколько раз приводил меня к ней в гости. Ты был ужасно смешным и ужасно серьезным пацаном, я таскал тебя на руках, подбрасывал в воздух, а ты боялся и визжал от страха.

— Кто такой Самосадов?

— Он был куратором твоей мамы.

— Куратором?

Кротов сделал вид, что впервые слышит этот термин. И фамилию Самосадов он тоже слышит в первый раз. Хан предупреждал его, что Кузьмин станет валить все на покойника: Николай Павлович Самосадов умер два года назад. Очень удобно. И главное — невозможно проверить. О Самосадове и его смерти Хану и Кротову рассказали Каменская и Стасов.

— Всему свое время, Сашенька, — в голосе Кузьмина прозвучали покровительственные нотки. — Или тебе более привычно имя Борис?

— Мне все равно, — равнодушно отозвался Кротов. — Называйте, как вам удобнее.

Действительно, через очень короткое время раздался звонок в дверь, пришел человек, которому Борис отдал принесенные деньги. И вот теперь они сидели друг напротив друга и ждали телефонного звонка, после которого Кузьмин начнет рассказывать.

Сидели молча. Но молчание это не было тягостным. Кузьмин явно пребывал весь в своих мыслях, а Кротов пристально и беззастенчиво разглядывал его, как любил разглядывать лица, которые собирался писать. Он словно пытался проникнуть по ту сторону кожи, глаз, увидеть, какие мысли бродят в черепной коробке, какие надежды дают силы жить и какие страхи эту жизнь отравляют. Обычно он подолгу разговаривал со своими моделями, стараясь выявить суть характера, но Кузьмин — не модель, и разговаривать он будет только тогда, когда получит деньги.

Наконец долгожданный звонок раздался. И Геннадий Антонович начал рассказывать.

В 1984 году директор крупного средмашевского завода Николай Степанович Разуваев отдыхал на обкомовских дачах в Руновске, на берегу водохранилища. Отдых заключался в том, что он пил по-черному и парился в бане с девочками. В пьяном состоянии он был безумен, агрессивен и требовал постоянного пригляда. А пригляд в тот период был особенно трепетным, потому как Николаю Степановичу должны были вот-вот присвоить звание Героя Социалистического Труда и, кроме того, он был кандидатом в члены Центрального Комитета КПСС. Естественно, КГБ не имел права допустить, чтобы с директором оборонного предприятия приключилась какая-либо беда, к тому же Разуваев был человеком, олицетворяющим достижения советской морали и нравственности, и, помимо беды, нельзя было допустить и его компрометации. Одним словом, приставленные к нему офицеры КГБ Самосадов и Кузьмин старались изо всех сил.

Однако все же недоглядели. Мальчишки из расположенного поблизости пионерского лагеря забрались на закрытую территорию обкомовских дач, угнали моторку и начали кататься по водохранилищу. В дымину пьяный Разуваев это увидел, сел в катер и помчался догонять их и наводить порядок своими методами. Самосадов и Кузьмин увидели это слишком поздно. На их глазах катер врезался в моторку и разнес ее в щепки. Один мальчик — Витя Сорокин — утонул сразу, двух других с тяжелыми травмами доставили в больницу. Миша Савиных умер на операционном столе, а Юра Петраков после операции находился в реанимации без сознания, но прогнозы были неплохими. Все-таки Дмитрий Васильевич Евтеев был превосходным хирургом и за операционным столом сделал практически невозможное.

Но это было опасно: мальчик придет в себя и расскажет, что наделал пьяный Разуваев, тем самым поставив крест не только на карьере самого Разуваева, но и на службе тех, кто должен был оберегать его от неприятностей. Пришлось взять в оборот доктора Евтеева, который сперва пришел в ужас от того, что ему предлагали, но как-то быстро сломался, не устояв перед сулимыми благами: переводом в Южноморск с солидным повышением и трехкомнатной квартирой. И еще, конечно, свою немалую роль сыграл страх: пойти наперекор могущественному КГБ в те годы казалось немыслимым. Это сейчас такую службу, как ФСБ, мало кто боится, они все больше террористами да шпионами занимаются, а в те времена они могли все и даже больше чем

все. Перекрыли бы кислород на всю оставшую-
ся жизнь, если вообще на свободе оставили бы,
а то и в психушку могли пожизненно запихнуть.
Доктору всего-то и нужно было неправильно
интерпретировать показания приборов и сим-
птомы и назначить препарат, который в данном
случае окажется смертельным. Уговаривал доктора Евтеева Коля Самосадов, Кузьмин же был
просто поставлен перед фактом.

Все сошло гладко, мальчик скончался, не
приходя в сознание, материалы проверки по не-
счастному случаю передали в архив, Разуваев
получил свою Звезду Героя и ждал повышения
от кандидата в члены ЦК, при этом частенько
наезжал в Москву попариться в баньке со сто-
личными девочками, одной из которых и была
Лариса Кротова, человек доверенный и прове-
ренный, состоявшая на связи с Самосадовым.
Лариса все видела, все слышала, много чего знала и понимала, но умела крепко держать язык за
зубами. Словом, для Николая Самосадова была
человеком незаменимым.

Слушая пьяную болтовню Разуваева, она
много чего узнала, в том числе об истории на
водохранилище, и, когда решила «соскочить»
и жить обычной гражданской жизнью, пустила
свои знания в ход, угрожая Самосадову предать
историю огласке, если он ее не отпустит и не
поможет устроиться. Самосадову пришлось со-

гласиться, но он начал вынашивать план устранения Ларисы. Тут очень удачно подвернулся Валерка Стеценко, он ходил под «расстрельной» статьей и легко дал себя уговорить совершить новое преступление и отделаться всего восемью годами — за пьяное убийство на бытовой почве больше не дали бы.

«Значит, Хан сказал правду, и мама действительно была проституткой, — думал Кротов, слушая Геннадия Антоновича и удивляясь собственной отстраненности от этого рассказа, словно речь шла не о его матери и в конечном итоге не о нем самом. — И Хан не ошибся в своей конструкции, дядю Валеру наняли для того, чтобы он убил маму, разыграв пьяную ссору на бытовой почве. Он все врет, этот Кузьмин, он думает, что я не знаю про смерть Самосадова, и врет, сваливая вину на него. Он совершает ошибку, думая, что я был слишком маленьким и ничего не помню. Я действительно многого не помню, я не помню имен, обстановки, названий городов и улиц, я не помню, кто в чем был одет и кто что сказал. Но лица я не забываю никогда. Я помню их все и могу по памяти нарисовать любое. И Кузьмина я вспомнил, как только увидел. Конечно, он постарел и изменился, но все равно я его узнал, он приходил к маме несколько раз между тем днем, когда она привезла меня в Москву от тети Ани, и днем нашего переезда в ту квартиру, где ее потом убили. Кузьмин приходил один, никакого другого мужчины с ним не было, иначе я бы и его запомнил... Наверное, мне нужно как-то отреагировать на сообщение о том, что мама занималась проституцией и ее убили по заказу, я же не должен показывать, что уже знаю об этом. Но как отреагировать? Вопросы задавать? Демонстрировать недоверие? Биться в истерике? Что делать-то?»

— Я вам не верю, — твердо произнес Кротов. — Может быть, мама была неразборчива в связях, я это допускаю, но она не могла быть проституткой. А значит, и история ее убийства — тоже ложь. Вам просто очень нужны деньги, и вы выдумали все это, чтобы их заработать.

* * *

— А что, неплохой ход, — одобрительно кивнул Стасов. — Ты подсказал?

Ханлар Алекперов отрицательно покачал головой:

— Нет, это его импровизация. Молодец Кротов, сообразил, что нужно делать вид, будто информация для него новая и неожиданная. Я этот момент как-то упустил, когда готовил его к встрече.

В микроавтобусе, напичканном дорогой техникой, было душно и накурено. Технику для прослушивания происходящего в квартире Кузьмина раздобыл Стасов, Хану это при всем желании не удалось бы, ведь дело Кротова не входило в круг его служебных обязанностей.

— В общем, как мы и ожидали, Кузьмин все валит на своего умершего коллегу Самосадова, — подала голос Настя Каменская, закуривая очередную сигарету, — хотя ежу понятно, что рассказывает он о себе. Самосадов-то умер два года назад, кто же тогда убил Стеценко, если не сам Кузьмин?

— Торопишься, Настя, — отозвался Хан. — Причастность Кузьмина к убийству Стеценко — это только одна из версий. Остается еще множество других, и хотя на территории твой дружбан Коля Селуянов всех оперов на уши поставил, все равно нельзя быть уверенным, что они проверили все досконально и полно. Кстати, обратите внимание: про убийство Стеценко он вообще молчит, ни слова не говорит. Придраться не к чему.

Стасов потянулся к термосу, налил себе горячего чая и с удовольствием откусил огромный кусок от принесенного с собой гамбургера.

— Это точно, — сказал он, дожевывая, — при такой постановке вопроса Кузьмина привлекать к ответственности не за что: доктора подстрекал не он, и Стеценко на убийство уговаривал тоже не он, а якобы покойный Самосадов. Хитрый, подлюга. Но ничего, и на него управа найдется, мы информацию Селуянову скинем, пусть сыщики с территории с ней поработают, авось и прижмут этого гада. Каменская, гамбургер будешь?

Ей очень хотелось есть, но она понимала, что Стасов при его габаритах наверняка испытывает голод более сильный, чем она сама.

— Не буду, спасибо, Владик.

— Тогда я его доедаю, с тобой не делюсь? — с надеждой спросил Стасов.

— Доедай, конечно. Если что — я за мороженым сбегаю, вон киоск стоит.

— Это мысль! — оживился Владислав. — Давай-ка сбегай, купи на всех, а мы пока послушаем. Мне шоколадного.

— А мне ванильного, — тут же откликнулся Алекперов.

Спорить не хотелось. Но и идти за мороженым не хотелось тоже. А вот есть, наоборот, хотелось. И когда же она научится наконец быстро соображать, давать правильные ответы, не говорить лишнего и не попадать в дурацкие ситуации?

* * *

— А если я найду дядю Валеру и спрошу, как все было? Не боитесь, что ваша выдумка разлетится в пух и прах? — спросил художник.

— Найди и спроси, — Кузьмин пожал плечами. — Только зачем? Неужели ты думаешь, что твой дядя Валера признается? Он будет намертво стоять на том, что убил твою маму на почве личной неприязни, из ревности. Ты ничего не добьешься и ничего не узнаешь.

«Это точно, — подумал Кротов. — Я действительно ничего не добьюсь и ничего не узнаю, потому что Стеценко мертв. Кузьмин не проявляет никакой нервозности, словно и вправду не знает об убийстве. А вдруг он ни при чем?»

— А вы не допускаете мысли, что дядя Валера, точно так же, как и вы, хочет денег и за деньги все расскажет?

— Да и ради бога! — рассмеялся Геннадий Антонович. — Он расскажет тебе все то же самое, что рассказал я. Ты просто дважды заплатишь за одну и ту же информацию и зря потратишь деньги.

«Нет, дорогой мой, Стеценко рассказал бы совсем другое. Он поведал бы, что это именно ты, а никакой не Самосадов, подбивал его сесть за бытовое убийство вместо «расстрельной» валютной статьи. И это означало бы, что именно ты, а вовсе не Самосадов, был заинтересован в устранении моей матери. Это твоей, а не его карьере угрожал бы скандал с Разуваевым. Потому что нельзя было просто так стать Героем

310

Социалистического Труда и членом **ЦК КПСС**, тебя должны были рекомендовать и за тебя должны были поручиться уважаемые люди, которые не могли допустить, чтобы те, кого они рекомендовали и за кого поручились, не оправдали доверия. Эти уважаемые люди тебе и твоему начальству такого не простили бы, ведь это был бы удар лично по ним, по их репутации. Вы все лишились бы своих мест, званий и зарплат».

— И вы столько лет молчали, — с упреком проговорил Кротов. — Мальчики погибли, мою маму убили, и вы все знали и молчали.

— Что поделать, — Кузьмин улыбнулся краешками губ, — таковы особенности профессии. Сначала это была служебная тайна, и я не имел права ее разглашать. Потом кончилась советская власть и началась эпоха громких разоблачений, но Коля Самосадов был моим товарищем, и я не мог сделать такую подлость по отношению к нему. А когда два года назад он умер, я подумал, что теперь от информации про ту ужасную историю уже не будет никакого вреда, а денег можно заработать. Ты видишь, Сашенька, я не пытаюсь выглядеть в твоих глазах лучше, чем я есть на самом деле. Я корыстен, мне нужны деньги, и ради них я готов на многое. Только не вздумай делать высокомерное лицо и читать мне проповеди о том, что быть корыстным грешно и хотеть денег — дурно. Вспомни о том, как и чем лично ты зарабатываешь на жизнь.

— Но почему вы ждали два года? — спросил Кротов.

Он точно помнил, что Хан велел обязательно задать этот вопрос, потому что хотел знать, кому еще Кузьмин продал информацию.

— Если ваш коллега Самосадов умер два года назад, то почему вы только сейчас написали мне?

Геннадий Антонович усмехнулся и потянулся за сигарой. Кротов поморщился, он не выносил запаха сигарного дыма.

— Ты, Сашенька, последний в этой цепочке. Я до последнего не хотел пользоваться тобой как источником дохода, потому что понимаю, каково сыну услышать такую правду о своей матери. Сначала я продал информацию брату погибшего Миши Савиных — Максиму Крамареву, и то только потому, что совершенно случайно узнал о его конкуренции с сыном того самого Разуваева. В тот момент денег хватило на первоочередные покупки, но потом выяснилось, что нужно еще покупать и покупать, а следовательно, тратить и тратить. Я хочу жить красиво и не вижу в этом ничего постыдного. Вот тут я и решил написать тебе. У тебя еще есть ко мне вопросы?

Кротов поднялся и направился к дверям.

— Нет. Наверняка они вскоре появятся, но сейчас я раздавлен и растерян и ничего не могу сообразить. Надеюсь, вы меня понимаете.

— Конечно, — Кузьмин сочувственно улыбнулся.

Он уже протянул руку к замку, чтобы открыть дверь перед Кротовым, но остановился.

— Ну, признайся, Сашенька, есть на тебе микрофон? — спросил он с лукавой улыбкой. — Нас слушают и записывают? Я никогда не поверю, что ты нашел меня самостоятельно, для этого тебе нужно было обратиться за помощью или к милиции, или к моим бывшим коллегам, или к бандитам. Так к кому ты обратился, а, Сашенька?

Кротов сам открыл дверь и сделал шаг к порогу.

— Вы уже спрашивали об этом.

— Но ты мне не ответил, — настойчиво проговорил Геннадий Антонович ему в спину.

— До свидания, — бросил Кротов, не оборачиваясь, и побежал вниз по лестнице.

Выйдя на улицу, он сел в свою машину, стараясь не крутить головой и не искать глазами микроавтобус, где должны сидеть Хан и его друзья. Они договорились заранее, что Кротов отъедет от дома Кузьмина и будет ждать Хана возле станции метро, до которой было минут пять-семь езды.

Возле метро Кротову пришлось подождать, минут через десять подошел Алекперов и сел к нему в машину.

— Кротов, ты понимаешь, что твои денежки — тю-тю? — спросил он первым делом. — Здесь ничего сделать невозможно, ты их отдал добровольно, и они уже лежат на счету Кузьмина.

— Да бог с ними, — махнул рукой Кротов. — Мне не жалко. Я еще заработаю, бандюки крупного калибра долго не переведутся, на мой век хватит.

Глава 16

4 июня, в пятницу, начальнику Южноморского УВД поступила информация из Москвы о том, что в ходе выполнения частного заказа детективным агентством «Власта» стали известны обстоятельства убийства доктора Евтеева, которые могут быть полезны в раскрытии преступления. Данный сиделкой словесный портрет человека, который точно знал, что Евтеев остался один в квартире, полностью совпадает с описанием внешности Славомира Гашина, имевшего личные мотивы для убийства старого доктора. По информации из «Власты», Гашин в настоящее время находится в Москве, адрес его неизвестен, но есть основания полагать, что его регулярно навещает Крамарев Максим Витальевич (установочные данные прилагаются).

Вечером того же дня начальник Южноморского УВД связался с Москвой, и по его инициативе Славомира Гашина объявили в розыск. Установили наблюдение за Максимом Крамаревым и очень быстро выяснили, что тот действительно навещает Гашина на съемной квартире на улице Миклухо-Маклая.

В Москву из Южноморска вылетел следователь Неделько, который вел дело об убийстве Дмитрия Васильевича Евтеева. Первым делом Неделько потребовал устроить ему встречу со Стасовым и Каменской, чтобы получить всю информацию из первых рук. Информацию он получил, но взамен вынужден был пообещать разрешить частным детективам поприсутствовать на допросе Гашина, когда его найдут и задержат, и даже задать свои вопросы.

Славомира Ильича Гашина задержали во вторник, 8 июня, через полтора часа после того, как от него ушел Максим Крамарев. За эти полтора часа в квартиру, где жил Гашин, заходила соседка снизу с вопросом, нет ли у него протечки, после чего стало ясно, что в квартире находится именно он. О том, что «соседка» была сотрудником милиции, Славомир Ильич так и не узнал.

Неделько слово сдержал и пригласил Стасова и Настю, которые тихо сидели в углу кабинета и внимательно слушали ответы задержанного на вопросы следователя. Наконец Неделько сделал знак, дескать, можете спрашивать, если вам еще не все понятно.

— А зачем вам охрана? — спросила Настя.

Гашин усмехнулся и с интересом посмотрел на нее.

— Видите ли, поездка в Южноморск и убийство доктора — это моя личная самодеятельность, Крамарев об этом ничего не знал. Если бы он узнал — ни за что не пустил бы меня. Когда я вернулся и рассказал Максиму о том, что убил Евтеева, он ужасно рассердился, кричал и приставил ко мне охрану, чтобы я не сбежал и еще чего-нибудь не натворил, что шло бы вразрез с его планами. Ему не нужна была смерть доктора. Ему нужен был только Разуваев. Когда пришлось приставить ко мне охрану, то жене и всем остальным Максим сказал, будто у него появилась информация о том, что конкуренты собираются ему напакостить и выкрасть то ли меня самого, то ли мои разработки. Я ведь уже говорил, что Максим выдавал меня за ученого-химика.

— И как вам жилось под постоянной охраной? Наверное, тяжко было? — изобразила сочувствие Настя.

— Было интересно, — Гашин мечтательно улыбнулся. — Было необычно, непривычно, и я черпал из этой ситуации все, что мог, для своей будущей пьесы. Это же потрясающе: написать пьесу о человеке, вынужденном жить под постоянным присмотром. Где еще я набрал бы материал? Нет, это было хорошо.

— А те двое, которые приезжали к Крамареву и которых он водил в ваш гостевой домик на совещания? — задал вопрос Стасов. — Это были Сорокины?

— Я вижу, вы далеко продвинулись, — одобрительно заметил Гашин. — Конечно, они, кто же еще? Они вышли на пенсию и тихо затухали в своем Новосибирске, скучали и маялись, пока Максим не нашел их. Вы поймите, у них появилась цель в жизни, смысл, она наполнилась идеей, содержанием, у них выпрямились спины, они воспряли духом. Знаете ли, месть — это очень животворный мотив, он людей буквально с того света возвращает.

Он замолчал, глядя в сторону, плечи его опустились, и весь он мгновенно стал поникшим и каким-то несчастным. Но уже через несколько секунд глаза Славомира Ильича снова заблестели, а губы дрогнули в готовности улыбнуться. В этот миг он показался Насте таким красивым, что она даже забыла о том, что он убийца, и откровенно любовалась сидящим напротив нее мужчиной.

— И знаете, что еще я понял? — продолжал Гашин. — Что месть — это просто красивое слово, которым каждый из нас прикрывает свои собственные личные мотивы. Максиму нужно было любыми средствами справиться с конкурентом, а на смерть брата ему, в сущности, наплевать. Как ни жестоко это звучит.

— Погодите, но каким образом информация о происшествии на водохранилище могла бы помочь Крамареву в его борьбе с младшим Разуваевым? — нахмурился Стасов. — Ведь это не Разуваев погубил детей.

— Павел Разуваев очень любит своего отца, он не допустил бы, чтобы имя Николая Степановича было опозорено. В обмен на неразглашение информации он снял бы свою кандидатуру и перестал мешать Крамареву в бизнесе. Вот и весь расклад, — пожал плечами Гашин.

— Ну хорошо, а Сорокины? — продолжала допытываться Настя. — У них какой мотив, если не месть за смерть сына?

— Им нужен был новый смысл жизни, новый импульс, чтобы вернуть хотя бы немного сил и интереса к существованию. Максим нашел их, пригласил в Москву, купил за бешеные деньги квартиру, в которой когда-то жила Лариса Кротова, переплатил жильцам, чтобы они согласились переехать, давал Сорокиным деньги без счета, обеспечивал всем необходимым. И знаете, им очень понравилось так жить.

— И для чего все это было? Зачем он вызвал вас из Перми и Сорокиных из Новосибирска?

— Видите ли, у Максима была информация о том, что Лариса могла оставить какие-то компрматериалы на Разуваева. То ли видеокассету, то ли аудио-, то ли просто какие-то записи. Никто не знал, что именно, и никто не знал, где она это хранила и было ли это вообще. Но задачей Сорокиных было познакомиться и близко сойтись с семьей Гусаровых, которые жили в соседней с Ларисой квартире и которые после ее гибели взяли к себе ее маленького сына. Были основания полагать, что и ее вещи они тоже взяли, и среди этих вещей есть то, что так нужно было Максиму. Сорокины были исполнителями, а я подавал идеи. У меня, знаете ли, неплохо получалось, — Гашин снова усмехнулся. — Все-таки я умею строить сцену и развивать драматургию эпизода. Я помогал анализировать характеры соседей и подсказывал, как и о чем лучше строить беседу, как начать, как ее вести и чем завершить, чтобы достичь нужной ноты. Впрочем, вам эти тонкости ни к чему, они вам вряд ли понятны.

— А вам? — с интересом спросила Настя. — Зачем вам это было нужно? Какие у вас были личные мотивы, если не месть в чистом виде?

— А я, наверное, не мог жить с чувством вины, — спокойно ответил Гашин, и это спокойствие лучше всяких слов объясняло, как много он думал об этом. — Вика считала меня виноватым в том, что случилось с ее сыном, и, вероятно, была права. Если бы я, взрослый умный мужик, сумел выстроить с ним правильные отношения, он не поехал бы в этот лагерь и не оказался бы с друзьями на водохранилище. Но я не сумел, я вообще мало думал о мальчике, все больше занимался собой, своей любовью к Виктории и своим творчеством, до Юрки мне и дела не было, более того, поскольку он плохо ко мне относился и Вика из-за этого переживала, я считал, что он мешает нашей любви. После его смерти я все время чувствовал себя виноватым, а после самоубийства Вики — виноватым вдвойне, ведь я не смог стать ей опорой, не вытащил ее из пьянства, из депрессии. И когда я узнал от Максима правду, я подумал, что если сам, своими руками убью доктора Евтеева, то хотя бы частично искуплю свою вину перед Викой и ее сыном. Доктор умирал от рака, и я торопился, боялся не успеть, боялся, что он умрет своей смертью в собственной постели, а мне так хотелось прийти на Викину могилу и сказать: «Вика, я сделал это, я искупил свою вину». Так что у меня, как видите, мотив тоже вполне личный.

Настя задумалась, потом неожиданно спросила:

— И чем же вы занимались целыми днями, находясь под охраной? Скучали?

— Что вы! — воскликнул Гашин. — Я работал, я очень много работал, я пишу новую пьесу, и вы знаете, давно уже у меня так легко не шла работа, так вдохновенно, так продуктивно!

— Значит, убийство доктора пошло вам на пользу. А знаете, какие у вас на самом деле были личные мотивы?

Гашин вскинул на нее непонимающий взгляд:

— Что вы имеете в виду?

— Ваша единственная более или менее удачная пьеса, которую поставили в Красноярске, была написана после самоубийства Виктории Петраковой, когда вас грызло невыносимое чувство вины и утраты. А потом это чувство поутихло, и вдохновения уже не было. Для успешной работы вам нужны трагически окрашенные переживания. Вам понадобилось убийство и новое чувство вины, чтобы пробудить в себе талант. Наверное, вам очень помогла непростая ситуация с Валентиной, правда? Ну как же, вы спите с женщиной, отца которой, как выясняется, вы безжалостно убили, а она об этом не знает. В вашей новой пьесе это наверняка нашло отражение.

— Вы жестоки, — в голосе Гашина звучал горький укор.

— А вы — нет? — резко ответила Настя. — Вы пытаетесь подчинить все вокруг себя только одному: пробуждению вашего вдохновения. Вы строите отношения с женщинами и используете их как источник материала для своего творчества, вы расспрашиваете их об их жизни, о детстве, о впечатлениях, о переживаниях, вы ведь даже вопросы задаете им одни и те же, у вас есть отработанная схема сбора информации, которая вам нужна для психологического портрета, правда? Вам не интересны эти женщины как женщины, вам они нужны только как живое пособие для создания очередного сценического образа для вашей очередной пьесы. Вы и доктора Евтеева убили, чтобы вдохновиться трагизмом произошедшего и попытаться создать шедевр. И как, Славомир Ильич, создали?

Гашин повернул голову в сторону следователя Неделько и попросил:

— Пусть эти люди уйдут. Мне не о чем с ними разговаривать.

Настя и Стасов встали и попрощались. В сущности, все было сказано, и говорить действительно больше не о чем.

* * *

Максим Витальевич Крамарев давно привык к мысли, что почти все можно купить за деньги, а то, что нельзя, приобретается за те же деньги, только очень большие. Поэтому, слушая вполуха следователя Неделько, который бубнил что-то насчет уголовной ответственности за укрывательство убийцы доктора Евтеева, Крамарев думал только об одном: сколько? Сколько нужно дать, чтобы он взял без лишних разговоров?

— Я вас понял, — оборвал он следователя на полуслове. — Перспектива неприятная. Я бы хотел ее избежать. Надеюсь, вы меня понимаете так же хорошо, как и я вас.

Следователь молчал, деловито листая бумаги и пытаясь что-то поправлять карандашом в тексте. Крамарев вытащил из портфеля заранее приготовленный толстый конверт и положил на стол поверх бумаг. Еще накануне, когда его официально вызвали к следователю, он примерно представлял, о чем пойдет разговор, ведь о том, что укрывательство убийцы — подсудное дело, его еще Кузьмин предупреждал. Поэтому, отправляясь на допрос к Неделько, Максим Витальевич вооружился неопровержимым, как ему казалось, аргументом.

Аргумент сработал, следователь взял конверт и устало улыбнулся.

— Разойдемся взаимно довольные друг другом, — сказал он. — Давайте повестку, я подпишу. Но вам, Максим Витальевич, придется как-то договариваться со Стасовым, потому что он присутствовал при допросе Гашина и своими ушами слышал, как тот давал показания о вашем участии и о том, как вы его укрывали.

Да, Стасов — это проблема, но не такая уж, в сущности, большая. Стоить, конечно, будет дороже, но все равно это всего лишь деньги, а скупым Максим Крамарев никогда не был.

Прямо от следователя он поехал в детективное агентство «Власта». Ему пришлось некоторое время ждать в приемной, пока глава агентства не принял его.

— Владислав Николаевич, — Крамарев постарался улыбнуться как можно обаятельнее, — мне стало известно, что у вас есть некая запись, в которой содержатся сведения, компрометирующие Николая Степановича Разуваева. Это так?

Стасов молчал и с интересом смотрел на Крамарева, не говоря ни слова. Максиму стало не по себе. Почему он молчит? Почему не хочет обсудить чисто деловой вопрос? Ведь сегодня торговля информацией — дело самое обычное, и только ленивый не наживается на этом. Все яснее ясного: пришел покупатель, твое дело — назвать цену, потом можно немного поторговаться, чтобы придать банальной сделке купли-продажи интеллигентную видимость деловых переговоров — и вся недолга. Неужели этот Стасов собирается тянуть из Крамарева душу? Нужно во что бы то ни стало раздобыть запись разговора Кузьмина с Кротовым, ведь там, кроме истории с мальчиками, могут быть и какие-то слова Геннадия Антоновича об участии Крамарева и его связи с убийством доктора. Кузьмин клянется, что об этом речи не было, но разве можно ему верить? Нет, верить нельзя никому, а особенно Кузьмину, который за деньги готов кого угодно продать и обмануть.

— Я расцениваю ваше молчание как подтверждение, — прервал паузу Максим Витальевич. — У вас есть такая запись. Сколько вы хотите за нее?

— Много, — улыбнулся Стасов. — Но вам вполне по силам.

Ну, вот это уже на что-то похоже. Сейчас он назовет сумму, они договорятся о сроках и порядке передачи денег, потом разговор вполне логично зайдет о плате за молчание об укрывательстве, Стасов назовет еще одну сумму, и дело будет закончено. Самое главное — у Максима появится оружие в борьбе с Павлом Разуваевым, а за это никаких денег не жалко.

— Я вас слушаю. Называйте ваши условия.

— Они просты, как три копейки. Запись у меня есть, но я вам ее не отдам. Более того, если вы не уйметесь и не прекратите деятельность вашей группы мстителей, я предам огласке ваше участие в убийстве доктора Евтеева. Вы сегодня уже побывали у следователя Неделько, и мне стало известно, что уголовное преследование в отношении вас осуществляться не будет. Что ж, следователь вправе принимать такие решения, он — фигура процессуально самостоятельная. Тем более, как я понимаю, его решение было подкреплено целой системой аргументов, упакованных в конвертик. Или вы давали без конвертика, прямо пачкой?

Максим почувствовал, как кожа лица наливается кровью и тяжелеет. Нет, он не испытывал ни неловкости, ни стыда, давать взятки он давно уже привык и не стеснялся этого, потому что в стране, в которой он жил, их давали все. И брали все. Но ему было противно, что какой-то частный детективишко позволяет себе чуть ли не поучать его.

— Я повторяю свой вопрос, — ледяным тоном произнес Крамарев. — На каких условиях вы готовы передать мне компромат на Разуваева?

— Я повторяю свой ответ: ни на каких. Компромат на Разуваева вы не получите. И у меня к вам встречное предложение: вы прекращаете свою деятельность по разоблачению Разуваева-старшего, в противном случае я сделаю все от меня зависящее, чтобы вы все-таки сели за укрывательство.

— Зачем вам это? — тихо спросил Максим. — Вы что, лично знаете старшего Разуваева и пытаетесь спасти его от неприятностей? Или вы

работаете на младшего и помогаете ему в предвыборной кампании? Он вас купил? Он успел
раньше меня, да? Так ведь я могу и перекупить,
если заплатить подороже.

Стасов расхохотался, и именно этот хохот,
звучный, смачный, какой-то беззаботный и
вкусный, внезапно убедил Максима Крамарева
в том, что он ничего здесь не добьется.

— Я мог бы с пафосом заявить вам, что я
не продаюсь, — сказал Стасов, нахохотавшись
вдоволь. — Но я не буду тратить слов напрасно. Скажу просто: мне не нравится ваша группа мстителей и ваша деятельность. Ну не нравится она мне, понимаете? И я ничего не могу
с этим поделать. Мне, видите ли, очень не нравится, когда мне что-то не нравится. Конечно,
история Разуваева-старшего мне тоже не нравится, и даже больше, чем ваша собственная, но
с этим я, к сожалению, ничего не могу поделать.
Для того чтобы предать ее огласке, нужны доказательства куда более весомые, чем те, которых
вам хватило бы для решения вашего конфликта
с Разуваевым-младшим. Замарать человека, об-
лить его грязью — этого достаточно для политической кампании. Но я, видите ли, юрист, а не
политик, и мыслю несколько иными категори-
ями. Без веских доказательств меня ждет обви-
нение в клевете и судебный иск. Оно мне надо?
Не смею больше вас задерживать.

Давно уже Максим Витальевич Крамарев не чувствовал себя таким растерянным и униженным, как в те минуты, когда он покидал офис детективного агентства «Власта».

* * *

Жанна спокойно и внимательно осмотрела помещение предвыборного штаба. Что еще она забыла упаковать? Какие еще ее вещи остались здесь? Ах да, в шкафу должна лежать коробка с канцтоварами, она ее недавно купила для себя, но открыть так и не пришлось. Вот она, лежит. Жанна деловито засунула ее в большую сумку и застегнула «молнию». Теперь все. Можно уходить.

Репутация Крамарева безнадежно испорчена, в предвыборной гонке он участвовать уже не сможет, несмотря на то что дал взятку и отмазался от уголовной ответственности. Слухи о том, что у него не все в порядке с законом, все равно каким-то образом просочились, и оппоненты по политической борьбе обязательно это используют. То есть как политик Крамарев закончился, и Жанне он больше не интересен. Ей не было жалко Максима, к нему она была совершенно равнодушна, ей жаль было собственного времени и собственных сил, потраченных впустую. Нельзя простаивать, нужно срочно искать, кому бы еще продать свои способности, нужно все время двигаться вперед. То, что случилось с Максимом Крамаревым, помешало ее планам и вызывало в ней не горячее возмущение, а всего лишь холодную досаду. К горячим чувствам Жанна вообще склонна не была, она была хладнокровной, расчетливой и циничной.

Она взяла сумку и направилась к двери, но столкнулась с вошедшим в помещение Крамаревым.

— Ты куда? — нахмурился он, увидев большую, битком набитую сумку. — Сбегаешь, как крыса с корабля? И это теперь, в такой трудный момент, когда мне нужна твоя...

— Перестань, — Жанна брезгливо поморщилась. — Только не надо соплей, ладно? Я тебе больше не нужна, и это очевидно всем, кроме тебя.

— Жанна, Жанночка, ну зачем ты так? Это временные трудности, я все улажу, и все будет как прежде, я тебе обещаю. Мы обязательно победим, и все у нас будет хорошо...

— У нас с тобой ничего не будет хорошего. Дай мне пройти.

— Погоди! — Он схватил ее за плечи и попытался обнять, но Жанна вырвалась и отступила на несколько шагов. — Ну нельзя же так, честное слово! Ты ведь всегда меня понимала, всегда поддерживала, разделяла мои трудности.

Что случилось сейчас? Чего ты испугалась? Ты ведь умная женщина, ты хорошо видишь перспективу, и ты не можешь не понимать, что ждет нас обоих в случае победы. Это Катерина моя дурью мается, ушла от меня, ей, видите ли, политическая деятельность поперек горла стоит. Не понимает, дуреха, что за политикой — будущее в моей жизни. Ну ничего, как ушла — так и вернется, никуда не денется, когда в конце концов поймет, что я прав. Но у Катерины ума небогато, а ты-то? Ты-то как можешь так поступать — бросать меня в самый ответственный момент?

Жанна поставила сумку на пол и села на край стола, при этом подол узкой юбки приподнялся, обнажив худощавые угловатые колени. Вообще-то свои колени Жанна считала «слабым» местом своей довольно привлекательной внешности и старалась их не обнажать, особенно в присутствии мужчин, но сейчас ей было все равно. Максим Крамарев ей больше не нужен, и можно сказать ему в лицо все, как есть.

— Твоя Катя вовсе не дуреха, и она к тебе не вернется, — неторопливо проговорила Жанна, смакуя каждое слово. — Ты вместе с политикой ей не нужен, а мне ты не нужен без политики. Ты никому не нужен, Максим Крамарев. Ты — неудачник, аутсайдер.

— Но ты же спала со мной! Мы с тобой вместе столько времени, и я думал... я был уверен...

— И зря, — спокойно оборвала его Жанна. — Думать вредно, а быть уверенным — опасно. Я спала с тобой только потому, что это было нужно для дела, чтобы ты слушался и поступал так, как я скажу. Мне нужно было, чтобы ты с доверием относился к моим предложениям и инициативам. Я знаю, что делаю, я крепкий профессионал, и для результата мне нужно, чтобы мне не задавали вопросы, а делали, как я скажу. Мне, Максим, неинтересно было с тобой спать, мне интересно привести кандидата к победе, это моя работа, это моя карьера, это мой послужной список. Чем больше побед в этом списке, тем дороже стоит каждая следующая работа. Если для этого надо спать с кандидатом — значит, я сплю, без всяких личных мотивов. Ты хочешь власти, а я хочу денег, но не свалившихся с неба, а заработанных собственным трудом. И я создаю все условия для того, чтобы мой труд в конечном итоге оказался эффективным.

Максим смотрел на нее, ошарашенный ее прямотой, и по лицу его было видно, что он никак не может осознать смысл услышанного и поверить, что это все всерьез. Жанна усмехнулась. Максим, как и почти все мужчины, искренне считает, что всем женщинам нужен секс и что они будут до гроба благодарны каждому, кто уложит их в постель. А для нее постель — это всего лишь одно из средств управления тупым быдлом, коим на самом деле в ее глазах являются те, кто рвется к власти. Не более того.

Она соскочила со стола, одернула юбку, подхватила сумку и ушла.

* * *

Валентина Евтеева возвращалась от Стасова совершенно раздавленная. Славомир, ее любимый, ее ненаглядный Славомир оказался убийцей ее отца! Она пыталась смириться с этой мыслью, пока ехала сначала в автобусе, потом в метро, потом в электричке, и когда Валентина переступила порог дома Нины Сергеевны, у нее уже не было сил ни на что, кроме отчаянных горьких слез. Обняв свою хозяйку, Валентина долго плакала, потом рассказала то, что узнала во «Власте».

— Вот почему он пришел в такую ярость, когда узнал, зачем я приехала в Москву! — всхлипывала она. — Не в том дело, что я оказалась обманщицей, а в том, что он понял: он убил моего отца, и я плачу частным детективам деньги за то, чтобы найти его, Славомира. Он просто не знал, что ему делать в такой ситуации. Вот почему он так внезапно исчез и прятался от меня. Он не мог смотреть мне в глаза.

Нина Сергеевна молча выслушала горестное повествование, похлопывая Валентину по спине, потом предложила попить чайку. Казалось, она не собирается ни утешать Валентину, ни обсуждать с ней то, что произошло.

Они выпили чаю, потом Нина Сергеевна попросила помочь ей с уборкой дома и только поздно вечером, когда Валентина вышла на террасу покурить, высказала то, что думает.

Не нужно цепляться за мужиков, не нужно к ним прилепляться, надо жить своей жизнью и иметь собственный стержень. А Валентина сначала прилепилась к директору НИИ, потом к отцу, теперь — к первому же, кто проявил к ней интерес и внимание и поманил. Зачем ей Гашин, человек, которого она едва знает и с которым была близка только один раз? Что она собирается с ним делать? Ждать его двадцать лет из тюрьмы? Страдать и ждать? В этом она видит свое предназначение и оправдание своего существования? Если ей нечем заняться и некуда тратить душевные силы, пусть лучше возьмет ребенка из детского дома и посвятит ему эти самые силы, все-таки больше пользы будет.

Валентине все сказанное Ниной Сергеевной казалось ужасной неправдой, она была уверена, что хозяйка не права ни в одном своем слове. На самом деле Валентина Евтеева хотела именно страдать и ждать, потому что последние годы в основном этим и занималась. Она сама не осознавала, что только так может испытывать комфорт и удовлетворение.

— Это и есть то решение, к которому я, по-вашему, не готова? — сердито спросила она.

— Именно так, деточка, — мягко ответила Нина Сергеевна. — Ты не готова. И я не сказала бы тебе ни слова, если бы у нас с тобой было впереди еще какое-то время. Но его, судя по всему, нет, твое дело в Москве закончено, и ты уедешь в ближайшие дни, так что пришлось сказать тебе уже сейчас, хотя ты, повторяю, к этому не готова.

— А вам не приходит в голову, что вы ошибаетесь? — с вызовом сказала Валентина. — Вы не настолько хорошо знаете меня, чтобы судить. Мы с вами знакомы всего полтора месяца, это слишком мало, чтобы по-настоящему узнать человека и иметь право поучать его.

— Ну, своего Гашина ты знаешь еще меньше, — усмехнулась Нина Сергеевна, обрывая увядший цветок в широком ящике, стоящем на террасе. — Но это не мешает тебе судить о мотивах его поступков. Не обижайся на меня, деточка. Лучше постарайся запомнить то, что я сказала, и на досуге обдумай.

Но ни запоминать слова Нины Сергеевны, ни тем более обдумывать их Валентина не собиралась. На следующий день она позвонила Стасову с очередной просьбой: помочь договориться со следователем, чтобы ей дали свидание со Славомиром Гашиным. Стасов обещал помочь, и спустя короткое время Валентина снова ехала в Москву, в Управление внутренних дел, на территории которого был задержан Гашин. Следователь, уже знакомый ей по Южноморску, сказал, что может дать ей не больше десяти минут.

— Я вызвал Гашина на допрос, — строго сказал он. — Сейчас его доставят, я выйду на десять минут, и вы сможете поговорить. Больше я ничего не могу для вас сделать.

— Спасибо! — горячо поблагодарила Валентина.

Она мысленно много раз представляла себе эту встречу и была уверена, что, как только они останутся вдвоем, все переменится. Они бросятся друг к другу, и Гашин крепко обнимет ее, и они будут целоваться, и между поцелуями он торопливо скажет ей, что любит, что мучается чувством вины и надеется, что когда-нибудь она поймет и простит его, а она ответит, что уже простила...

И теперь она в холодном неуютном кабинете ждала, когда откроется дверь и появится Славомир. Такой красивый, такой необыкновенный, такой любимый. Во рту пересохло, руки дрожали, ноги были ватными, и ей пришлось прислониться к краю письменного стола, чтобы стоять более уверенно. Вот сейчас, вот сейчас...

Он вошел. Угрюмый, хмурый, какой-то пришибленный и неожиданно старый. Ни следа не осталось от его вальяжности и снисходительной ироничности, перед Валентиной стоял совсем другой человек, в глазах которого не было привычного ей блеска. Он даже не был таким красивым, каким она его помнила.

«Мне это только кажется, — упрямо думала она, глядя на Гашина. — Мне только кажется. Конечно, он арестован, он под следствием, ему грозит тюрьма, он находится в камере с отбросами общества, с уголовниками, бандитами и наркоманами, и какое еще выражение лица у него может быть? На самом деле он остался все тем же Славомиром, которого я люблю, и я должна дать ему надежду, силы, я должна поддержать его».

Она заговорила, надеясь, что он ответит и начнется разговор, но Славомир не произносил ни слова и даже не смотрел на нее. Мысли его были где-то далеко от Валентины и от этого кабинета.

Она говорила о том, что правда об отце ее убила, но она все равно будет его любить, потому что это ее папа, который ее вырастил и которому она обязана всем хорошим, что было в ее жизни. В том числе и встречей с Гашиным, которой не было бы, если бы все не случилось так, как случилось. Эти слова она продумала и заготовила заранее, ей почему-то казалось, что их обязательно нужно сказать и именно они должны растопить лед непонимания и отчуждения, который возник между ними.

— То, что сделал папа, ужасно, и этому нет прощения, — говорила она, — но я все равно люблю его, потому что это мой папа. И то, что сделал ты, тоже ужасно, и этому тоже нет прощения, но я все равно люблю тебя и буду ждать, просто потому, что люблю. Этому, наверное, нет разумного объяснения, просто прими это как данность и знай: я тебя жду.

Он не слушал ее. И Валентина, каждой клеточкой тела ощущая, как тают, истекают отведенные ей десять минут, вдруг поняла, что не нужна ему. Ему совершенно не нужно, чтобы она его ждала. И ему не нужно, чтобы она его любила. Ему нужно что-то совершенно другое, что-то такое, о чем пыталась говорить ей та женщина, Каменская, и что казалось Валентине невозможным и неправдоподобным.

Вошел следователь. Свидание закончилось. Гашин так и не произнес ни слова.

* * *

— Я тебе говорил: надо было купить еще один чемодан, — недовольно ворчал Вилен Викторович Сорокин. — Мы сделали столько приобретений, что у нас не хватит места.

Ангелина Михайловна виновато отмалчивалась. Накануне они уже купили новый чемодан, потому что их пожитки никак не умещались в тот багаж, с которым они приехали в Москву из Новосибирска, и Вилен действительно твердил, что нужно покупать не один чемодан, а два, а она не послушалась. И как они ухитрились обрасти таким количеством вещей? Казалось бы, покупали понемногу, то книгу, то парочку дисков, то костюм Вилену, то пальто Ангелине, а теперь ничего никуда не помещается.

Вилену хочется уехать, он скучает по своему дивану, по своему креслу, своим книгам и своей музыке. А вот Ангелине Михайловне уезжать совсем не хочется, ей нравится жить здесь, нравится надевать красивые платья, делать прическу в парикмахерской и ходить с Виленом в театры и на концерты. В последние годы он стал вялым, дома, в Новосибирске, его стало трудновато вытащить куда-нибудь, как прилипнет к своему креслу — так никакими силами не оторвешь, а здесь волей-неволей пришлось вести светскую жизнь, и он втянулся, приободрился, приосанился. Да и ухаживания за соседкой Людмилой Леонидовной сделали свое дело, и как ни мучилась ревностью Ангелина Михайловна, она не могла не признать, что культпоходы с Люсенькой пошли Вилену на пользу.

И вот теперь все закончилось, и нужно возвращаться. Если бы не было этой поездки и жизни в Москве, то Ангелина Михайловна оставалась бы вполне довольной своим существованием, полагая, что лучше и быть не может. Но теперь она знает, что может быть и по-другому, и возвращение к прежнему образу жизни кажется ей падением с высоты в грязь. Лучше бы ей не знать этой другой жизни... И зачем только они в это ввязались? Вроде бы на первый взгляд понятно: они хотели отомстить за гибель сына. А на самом деле?

Витя погиб двадцать шесть лет назад, боль давно утихла. Да если уж совсем честно говорить, не была эта боль убийственной. Ангелина точно знала, что Вилен, конечно, переживал смерть сына, но потом вздохнул с облегчением: можно было вернуться к прежнему, такому любимому образу жизни. Да и сама она не так уж горевала. Сын был ей в тягость, и от горя она оправилась даже быстрее, чем ожидала сама. Не нужен ей был ребенок, ну совсем не нужен! Горе, конечно, огромное, но его оказалось так легко пережить... Просто удивительно.

И Ангелина тоже с готовностью вернулась к прежнему образу жизни, они с Виленом снова стали ходить по театрам, много читать, слушать музыку и, как и прежде, позволяли себе взять на работе несколько дней за свой счет, чтобы съездить в другой город и посмотреть спектакль с любимыми актерами или увидеть постановку, о которой много говорили, или побывать на выставке или вернисаже. Первое время Ангелине было немного стыдно, что она так радуется жизни, получает от нее такое удовольствие, ведь она должна горевать, плакать, носить траур, а она ходит на премьеры и концерты и если и плачет, то только от звуков великой музыки.

Но потом она все чаще стала задумываться о том, что любая утрата — горе, но каждый человек переживает это горе по-разному, кто-то сильнее, кто-то слабее. Просто все стесняются об этом говорить, и складывается впечатление, что все горюют одинаково. А ведь это совсем не так... Просто так принято считать.

И еще принято считать, что каждая мать обожает своего ребенка, и когда ребенок умирает, она должна с ума сходить от горя. Но ведь далеко не каждая мать хочет быть матерью, и далеко не каждая обожает свое дитя. Примеры тому — на каждом шагу, включи телевизор — и обязательно услышишь какую-нибудь историю о том, как мать избивает ребенка, морит его голодом, оставляет одного на несколько дней в пустой квартире или убивает новорожденного. Почему же принято считать, что смерть ребенка для всех одинакова? Как разнится отношение к детям, так разнится и отношение к их утрате.

...Ангелина Михайловна стряхнула с себя оцепенение, в которое она всегда впадала, когда вспоминала эти свои размышления, и снова занялась укладкой чемоданов. Они улетают завтра днем, Максим сказал, что сам отвезет их в аэропорт. Жаль, что они не смогли быть по-настоящему полезны Крамареву, все-таки он очень славный молодой человек. Вилену он почему-то разонравился, а вот Ангелина Михайловна теперь уже испытывает к нему искреннюю симпатию. Обидно, что из-за Славика у Максима возникли неприятности и он вынужден уйти из политики. Все-таки этот Славик — полное ничтожество, от него никакого толку не было, одни проблемы. И правильно, что его посадили.

Боже мой, боже мой, как же не хочется уезжать!

* * *

Убийство Валерия Стеценко так и повисло нераскрытым. Надо отдать должное оперативникам Центрального округа — Николай Селуянов всю душу из них вытряс, но ни одного доказательства причастности к этому убийству Геннадия Антоновича Кузьмина так и не нашли. Главная надежда была на бомжей из Грохольского переулка, но по фотографии они Кузьмина не опознали — темно было, да и спросонья они, и нетрезвые. Так бывает достаточно часто: оперативники и следователи точно знают, кто убил, как и за что, а доказательств, которые могут быть приняты в суде, нет. Ну нет их — и все тут. И преступление считается нераскрытым, уголовное дело приостанавливается, а виновный счастливо и благополучно пьет коньяк и курит дорогую сигару.

Накануне своего дня рождения Настя получила от Стасова честно заработанный гонорар за выполнение заказа Валентины Евтеевой.

— Не забудь с мужем поделиться, — сказал ей Стасов насмешливо. — Небось без его помощи-то не обошлось.

Это правда. Без Лешки она не справилась бы. Выйдя из кабинета Стасова, Настя тут же позвонила Чистякову.

— Леш, мы сказочно разбогатели. Половина — твоя, по-честному. Как будем тратить?

Алексей долго не раздумывал.

— Ты можешь сейчас свалить из своей конторы?

— Легко!

— Тогда подъезжай на Кутузовский, к тому магазину, где мы с тобой видели красивые спортивные костюмы. Помнишь?

— Помню.

— Я тоже туда подтянусь, и мы пойдем выбирать тебе подарок ко дню рождения. Плачу из своей половины.

Настя села в машину и отправилась тратить деньги. Ну что ж, если Лешка из своей половины гонорара купит ей подарок, то она, в свою очередь, из другой половины купит ему тот самый спортивный костюм, который Чистякову так понравился. Это будет справедливо.

Когда она подъехала к магазину, муж уже ждал ее, сидя в своей старенькой машине и почитывая газету. И почему он всегда успевает приехать раньше? Как будто на его пути не бывает пробок и затруднений в движении.

— Извини, — сказала она виновато, — машин много. Давно ждешь?

— Давно. Аська, ты когда-нибудь научишься объезжать пробки? Или так и будешь стоять в них, как покорная овца? Сколько раз я тебе говорил: изучай город, учись находить маршруты объезда. Ладно, пошли.

Лешка ворчал только для видимости. По его глазам Настя видела, что настроение у него превосходное.

Они обошли несколько магазинов, выбрали то, что Алексей хотел бы подарить жене на пятидесятилетие, Настя все это примерила, от чего-то отказалась, с чем-то согласилась, и они пошли в ресторан обедать, чтобы не спеша все обсудить и принять согласованное решение, которое устроило бы обе стороны.

— Лешка, все-таки ты ужасно умный, — благодарно сказала Настя, когда они наелись и приняли решение касательно подарка. — Ты был прав насчет того, что немедленная месть — это одно, а отставленная — совсем другое. При отставленной мести на первый план выходят личные мотивы и желание изменить собственную жизнь. Если бы не ты, мы с тобой этих денег не заработали бы и не сидели бы сейчас в ресторане, как буржуины.

Чистяков подозрительно посмотрел на нее.

— Это ты к чему?

— К тому, что я тоже хочу сделать тебе подарок. Давай купим тебе тот костюм, который тебе понравился. Мне будет приятно.

— Аська, это неразумное расходование бюджета, — строго произнес он. — Я прекрасно обойдусь без костюма. Куда мне в нем ходить-то? Я по утрам не бегаю, фитнес-клубы не посещаю, дачи у нас с тобой нет.

— Будешь дома в нем ходить, — решительно заявила Настя. — Все, не хочу ничего слушать. Ты делаешь подарок мне, я — тебе. У меня есть предложение: давай считать, что мой день рождения тут ни при чем, а мы с тобой просто обмениваемся подарками в честь первого успешно завершенного совместного дела. Леш, ты только вдумайся: мы впервые в жизни вместе заработали деньги!

— И при этом прокатились на курорт и сходили в дельфинарий, — заметил Алексей.

— И в океанариум, — подхватила она, — а еще я сфотографировалась с обезьянкой и попугаем.

— И мы наконец после двадцатилетней паузы пошли с тобой в кино. Слушай, а ведь действительно, это вроде как совсем новая жизнь у нас с тобой получилась, а?

— Жизнь Шерлока Холмса и доктора Ватсона? — озадаченно спросила Настя. — Или ты претендуешь на роль Пуаро, а мне оставляешь почетное право быть Гастингсом?

— Бери выше! — весело воскликнул Чистяков. — Я буду Ниро Вулфом, ты купишь мне большое красное кожаное кресло и штук двадцать орхидей, я буду целыми днями их поливать и обихаживать, а потом садиться в кресло и изрекать гениальные истины. А ты будешь Арчи Гудвином и станешь мотаться по всему городу в поисках информации для меня.

— А чего это я-то? — возмутилась Настя. — Я, может, тоже хочу сидеть в кресле и поливать орхидеи.

— Ну а кто же? — резонно возразил он. — Я не могу ездить, у меня машина старая, на ладан дышит. А у тебя новенький «Пежо», тебе и ездить. В общем, так, Аська: предложение об обмене подарками я принимаю. Идем и покупаем, потом дарим и радуемся. А к завтрашнему дню я придумаю, что тебе подарить. Все-таки не будем нарушать традиции — подарок ко дню рождения должен быть сюрпризом.

— Ладно, — согласилась она. — Леш, а можно я еще куплю фарфоровый чайник и две чашки, ну те, с розовыми цветочками?

— Можно, — великодушно разрешил муж.

Домой они вернулись, обвешанные пакетами и свертками, и с удивлением обнаружили, что полученных утром денег осталось как-то мало. Настя сделала попытку расстроиться:

— Лешка, мы столько денег на меня истратили! Зачем?

— Но тебе же нравятся вещи, которые мы купили? Нравятся. Ты получила удовольствие, когда их мерила и покупала? Получила. Значит, все правильно. На это денег не жалко.

— Но все равно...

Она ужасно огорчилась, но Алексей ее настроения не разделял, веселился, тормошил ее, заставлял снова надевать все обновки, потом погнал ее на кухню и велел заваривать чай в новом чайнике и пить его из новых чашек.

Чашки были тонкими и изящными, чай в них показался Насте на удивление вкусным, и настроение у нее быстро исправилось.

— Черт с ними, с деньгами, — сказала она. — Мы с тобой еще заработаем, у нас вместе вон как ловко получается.

— Только не маньяки, — быстро ответил Чистяков. — Мне бы что-нибудь спокойное, с приличными людьми. А маньяков я не выношу, меня от них в дрожь кидает. На поиски маньяков я не подписываюсь. Обещай, что возьмешься только за дело с достойными фигурантами.

— Обещаю, — торжественно произнесла Настя. — Писатели, ученые, артисты. И никаких маньяков.

* * *

— Второй этаж, двести восьмая комната. Вас проводить?

— Благодарю, — улыбнулась Зоя Петровна, — я дойду сама. Пусть вас не смущают ни моя походка, ни моя палка, я отлично передвигаюсь. Скажите, а Николая Степановича часто навещают?

— Часто, — кивнула молодая женщина в униформе. — Сын приезжает два-три раза в неделю, когда один, когда с женой или детьми. Он очень о Николае Степановиче заботится.

Зоя Петровна кивнула и стала медленно, приволакивая ногу и постукивая палкой, подниматься на второй этаж. Двести восьмая комната оказалась совсем рядом с лестничной площадкой. Она постучала и, не дождавшись ответа, толкнула дверь.

Николай Степанович Разуваев сидел в кресле-каталке возле окна, и на первый взгляд могло бы показаться, что он задумчиво смотрит на кроны деревьев.

— Здравствуйте, Николай Степанович, — проговорила Зоя Петровна, стараясь выговаривать слова медленно и четко.

Тот не обернулся и даже не вздрогнул. Может, у него проблемы со слухом? Может, не слышит?

Зоя Петровна подошла ближе и коснулась его плеча. Никакой реакции. Она с усилием развернула кресло и заглянула в лицо Разуваева.

Лицо не выражало ничего, кроме младенческой безмятежности. Выцветшие светлые глаза неподвижно смотрели в одну точку, из уголка рта тянулась ниточка слюны. Человек, погубивший когда-то троих мальчиков, впал в болезненное безумие и уже ничего не понимал.

Она пришла к Разуваеву, чтобы посмотреть на него, на того, кто разрушил ее жизнь и сделал инвалидом, на того, из-за кого в конечном итоге рухнула жизнь ее сына. Посмотреть, поговорить, может быть, упрекнуть, возможно, обвинить, а если сложится — то и высказать все, что она о нем думает. Но теперь в этом нет никакого смысла. Он не осознает собственной вины, он не осознает вообще ничего. Такие страсти разгорелись из-за его поступка, столько жизней сломано, столько боли причинено разным людям, а он ничего этого даже не понимает и не может оценить. И не может выслушать упреки и обвинения. Он счастлив, как бывает счастливо новорожденное дитя, которое не знает ни вины, ни боли, ни горя и ничего не понимает.

Это чудовище — и счастливо? Разве это справедливо? Зоя Петровна развернула кресло в прежнее положение и долго стояла за спиной у Разуваева, глядя на опущенные плечи и жалкий старческий пух, окружающий покрытую пигментными пятнами лысину. Ведь он ненамного старше ее самой, но если она, Зоя Петровна, активно работает и живет полноценной жизнью, то Николай Степанович превратился в растение, которому уже недоступны не только горестные переживания, но и обыкновенные радости, даже самые малые.

Может быть, это и есть расплата?

Апрель — август 2010 года

Литературно-художественное издание

КОРОЛЕВА ДЕТЕКТИВА

Александра Маринина

ЛИЧНЫЕ МОТИВЫ
Том 2

Ответственный редактор *А. Дышев*
Редактор *Г. Калашников*
Художественный редактор *А. Сауков*
Технический редактор *Н. Носова*
Компьютерная верстка *И. Кобзев*
Корректор *М. Мазалова*

ООО «Издательство «Эксмо»
127299, Москва, ул. Клары Цеткин, д. 18/5. Тел. 411-68-86, 956-39-21.
Home page: **www.eksmo.ru** E-mail: **info@eksmo.ru**

Подписано в печать 03.12.2010. Формат 84×108¹/₃₂.
Гарнитура «Newton». Печать офсетная. Бум. офс. Усл. печ. л. 18,48.
Тираж 210 000 экз. Заказ 1351

Отпечатано с электронных носителей издательства.
ОАО «Тверской полиграфический комбинат». 170024, г. Тверь, пр-т Ленина, 5.
Телефон: (4822) 44-52-03, 44-50-34, Телефон/факс: (4822) 44-42-15.
Home page – www.tverpk.ru Электронная почта (E-mail) sales@tverpk.ru

ISBN 978-5-699-46878-2